7 Nieve McGuire

¡Qué chévere!

Second Edition

Level 1

Workbook

Karin D. Fajardo

EMC School

PART OF CARNEGIE LEARNING

PITTSBURGH, PA

Publisher
Alex Vargas

Director of Content Development
Kristin Hoffman

Production Editor
Emily Tope

Senior Designer and Production Specialist
Jaana Bykonich

Cartoon Illustrator
Kristen M. Copham Kuelbs

The *¡Qué chévere!* Workbook is designed to supplement the material taught in the student text. Each unit lesson contains supplemental vocabulary, grammar, and culture practice. Activities to reinforce vocabulary acquisition and grammar naturally progress from basic to more challenging. At the end of every lesson, four synthesis activities are indicated by a ♛ icon. These activities provide a higher level of challenge for students and allow for differentiated instruction.

ISBN 978-1-53384-988-5 (print)

© by Carnegie Learning, Inc.
501 Grant St., Suite 1075
Pittsburgh, PA 15219
E-mail: info@carnegielearning.com
Web site: www.emcschool.com

Printed in the United States of America

28 27 26 25 24 23 22 21   5 6 7 8 9 10

Table of Contents

Nombre: ______________________ Fecha: ____________

Unidad 1

Lección A

Vocabulario A1

1 ¡Hola!

Unscramble the following conversation between two new students. Number each line 1–7 to show the correct order.

1 ¡Hola! ¿Cómo te llamas?

7 ¡Adiós, Natalia!

3 Yo me llamo Luis.

5 Se escribe con ele mayúscula, u, i, ese.

6 Hasta luego, Luis.

4 ¡Mucho gusto! ¿Cómo se escribe Luis?

2 Me llamo Natalia. ¿Y tú?

mayuscula=uppercase
miniscula=lowercase

2 ¿Cómo se escribe?

Look at the following listing of the editorial staff of a Spanish-language magazine. Find the first name that corresponds to each clue and write it in the space provided.

1. Se escribe con ye mayúscula.
   reporteros
2. Se escribe con hache mayúscula.
   Fotógrafas
3. Se escribe con eme mayúscula, i, te, zeta, i.
   Colaborados
4. Se escribe con equis minúscula.
   Ana Maria
5. Se escribe con u con acento.
   sara Sanchez

FURIA MUSICAL

DIRECTORA EDITORIAL
Blanca Martínez
COORDINADOR EDITORIAL
Eleazar Ramos
DIRECTOR DE ARTE Y DISEÑO
L. Daniel Martínez V.
ARTE Y DISEÑO:
Jacqueline Buenrostro y Mitzi Solano
REPORTEROS:
Oscar Vargas C. y Antonio Arciniega
COLABORADORES:
Polo López, Héctor Pérez, Israel Sedano.
CORRECCIÓN DE ESTILO:
Ana María Cortés C.
FOTÓGRAFOS:
Miguel Mendívil, Miguel Marín,
Blanca Charolet y Jaime Nogales.
CORRESPONSALES EN CALIFORNIA:
Yanalte Galván, José A. Hernández
y Félix Castillo.
CORRESPONSAL MONTERREY:
Sara Sánchez

DIRECTOR GENERAL DE VENTAS DE PUBLICIDAD INTERNACIONAL:
Roberto Sroka
GERENTE DE VENTAS DE PUBLICIDAD INTERNACIONAL:
José R. Vila
Tel: (305)871 6400 Ext. 214
Conmutador: (525)261 2670
Redacción: (525)261 2634 y 262 2635.
Fax 261 2730
E-mail: furia.musical@editorial.televisa.com.mx
FURIA MUSICAL ES UNA PUBLICACIÓN DE EDITORIAL TELEVISA
VICEPRESIDENTE DE OPERACIONES USA Y SURAMÉRICA
Eduardo Michelsen
VICEPRESIDENTE EDITORIAL
Irene Carol
VICEPRESIDENTE DE OPERACIONES
Raúl Braulio Martínez
VICEPRESIDENTE DE ADMINISTRACIÓN Y FINANZAS
Sergio Carrera Dávila

Homework for the week

Nombre: _____   Fecha: _____

3 Sopa de letras

In the word square find ten Spanish names. The words may read vertically, horizontally or diagonally.

```
Z  A  W  S  D  G  H  K  Q  Ú
O  P  I  L  A  R  É  P  O  I
X  C  F  V  F  B  N  M  Á  R
V  É  E  D  E  G  U  H  L  A
E  S  D  O  L  O  R  E  S  Q
J  A  E  R  I  T  Y  R  F  U
O  U  W  B  P  P  G  N  S  E
R  Z  A  T  E  A  I  Á  D  L
G  C  V  N  Y  B  A  N  F  G
E  Q  Ú  S  É  L  C  V  É  B
A  U  T  G  L  O  R  I  A  S
R  W  Á  I  X  M  I  N  K  L
```

4 Crucigrama

Complete the crossword puzzle based on the clues.

Horizontales

1. A greeting
4. The letter "j"
5. The letter "s"
6. *Mucho _____*.
9. Lowercase letter
10. A lot

Verticales

2. *Hasta _____*.
3. Capital (uppercase) letter
7. A farewell
8. *Me _____*.

Gramática A1

5 Puntuación

Rewrite the following sentences with the correct punctuation.

1. Hola! Cómo te llamas?

   _____

2. Mucho gusto, Sonia!

   _____

3. ¿Cómo se escribe Javier? Con jota?

   _____

4. Yo me llamo Antonio. ¿Y tú.

   _____

5. Hasta luego, Beatriz!

   _____

6. ¡Adiós, Ricardo.

   _____

Cultura

6 Celebraciones y saludos

Decide whether each of the following statements about Spanish-speaking culture is *cierto* (true) or *falso* (false). Write **C** or **F** in the space provided.

1. _____ Birthday parties may last until the early morning hours.

2. _____ A girl's fifteenth birthday is a very special occasion.

3. _____ Boys celebrate their fifteenth birthday with a formal dance in a banquet hall.

4. _____ Men exchange a handshake and a hug when greeting friends and relatives.

5. _____ Men and women who do not know each other may exchange a kiss on the cheek.

6. _____ There is no verbal exchange among Spanish-speaking people when they greet each other.

Vocabulario A2

7 **América del Norte, América Central y el Caribe**

Identify the Spanish-speaking countries in the following map. Write the name of each country in the space provided. You may refer to the maps of Central America, Mexico and the Caribbean in the text.

Costa Rica   Nicaragua   Guatemala   República Dominicana

El Salvador   Puerto Rico   México

Honduras   Cuba   Panamá

1. _____
2. _____
3. _____
4. _____
5. _____

6. _____
7. _____
8. _____
9. _____
10. _____

 # check this out!

Homework for the week

8 **Europa, África y América del Sur**

Write the names of the Spanish-speaking countries indicated by each number. Refer to the maps of Europe, Africa and South America in the text.

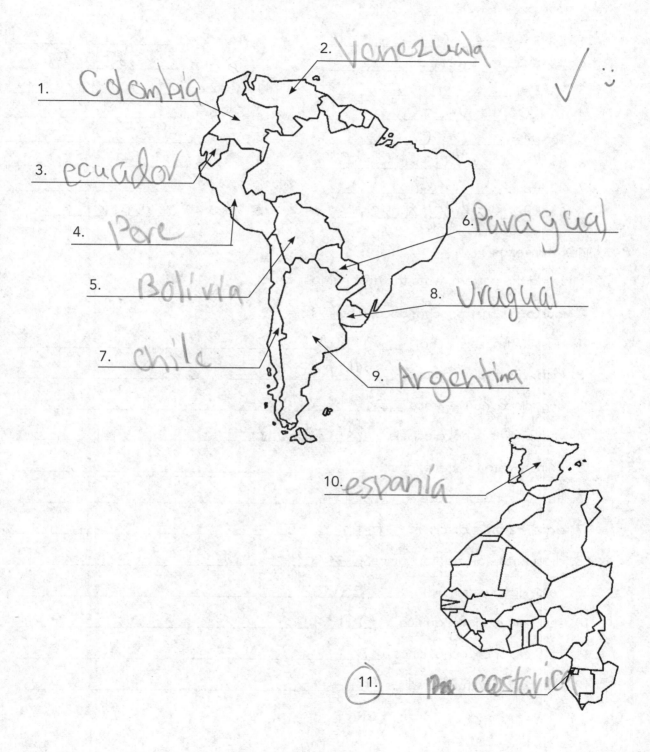

1. Colombia

2. Venezuela ✓ ☺

3. ecuador

4. Pere

5. Bolivia

6. Paraguay

7. chile

8. Urugual

9. Argentina

10. espanía

11. (pu) costarica

9 Matemáticas

Write a number word in Spanish to answer each math problem.

MODELO: 1 + 2 = <u>tres</u>

1. 2 + 3 = <u>cinco</u>
2. 3 x 3 = <u>nueve</u>
3. 9 – 2 = <u>siete</u>
4. 10 x 2 = <u>viente</u>
5. 16 – 4 = <u>doce</u>
6. 8 x 2 = <u>dieciseis</u>
7. 20 ÷ 2 = <u>diez</u>
8. 5 x 3 = <u>~~diecicinco~~ quince</u>

9. 16 ÷ 2 = <u>ocho</u>
10. 18 – 4 = <u>~~diecicuatro~~ catorce</u>
11. 8 ÷ 2 = <u>quatro</u>
12. 5 + 6 = <u>once</u>
13. 6 ÷ 2 = <u>tres</u>
14. 7 + 6 = <u>~~catorce~~ doce</u>
15. 20 - 19 = <u>uno</u>
16. 9 + 8 = <u>dieci</u>

10 Más números

Following the pattern, write the next number word.

MODELO: cuatro, ocho, doce, <u>dieciséis</u>

1. dos, cuatro, seis, ocho, <u>nueve</u>
2. cero, cinco, diez, quince, <u>doese</u>
3. uno, cinco, nueve, trece, <u>dieseseis</u>
4. veinte, dieciocho, dieciséis, <u>diesionueve</u>
5. quince, catorce, trece, doce, <u>uno</u>
6. tres, seis, nueve, doce, <u>dose</u>
7. doce, catorce, dieciséis, <u>thres</u>
8. diecinueve, diecisiete, quince, <u>seis</u>
9. cero, dos, cuatro, ocho, <u>nueve</u>
10. seis, nueve, doce, quince, <u>ocho</u>
11. catorce, once, ocho, cinco, <u>seis</u>
12. quince, doce, nueve, seis, <u>uno</u>

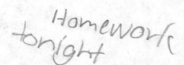

Homework tonight

11 ¿Cuántos años tienes?

You have just asked the following students their ages. Write their responses, using the cues provided.

MODELO: Ana / 13
Tengo trece años.

1. Roberto / 15
   _____ *quince* _____

2. Marcos / 17
   _____ *diecíceto* _____

3. Claudia / 14
   _____ *diecequarto* _____

4. Elena / 16
   _____ *dieceseis* _____

5. Diego / 12
   ~~*doese*~~ ~~*doese*~~ *doese*

6. Marta / 18
   _____ *dieceocho* _____

Gramática A2

12 ¿De dónde eres?

Imagine you are at a book convention where you ask several well-known Spanish-speaking writers where they are from. Following the model, write each response in the space provided.

MODELO: Isabel Allende / Chile
Soy de Chile.

1. Julia Álvarez / República Dominicana

   _____

2. Carlos Ruiz Zafón / España

   _____

3. Leonardo Padura / Cuba

   _____

4. Sandra Cisneros / Estados Unidos

   _____

5. Edgar Allan García / Ecuador

   _____

6. Sandra Scoppettone / Argentina

   _____

7. Mario Vargas Llosa / Perú

   _____

13 Sí, soy de la capital

Match each question with the correct response.

1. __B__ ¿Eres del Perú?
2. __D__ ¿Eres de Nicaragua?
3. __C__ ¿Eres de Colombia?
4. __A__ ¿Eres de la República Dominicana?
5. __E__ ¿Eres de Chile?

A. Sí, soy de la capital, Bogotá.
B. Sí, soy de la capital, Lima.
C. Sí, soy de la capital, Santiago.
D. Sí, soy de la capital, Managua.
E. Sí, soy de la capital, Santo Domingo.

14 Soy de...

How would each person say where he or she is from? Following the model, write the response in the space provided. You might want to refer to the maps in the text.

MODELO: Soy de la Ciudad de México, la capital de México.

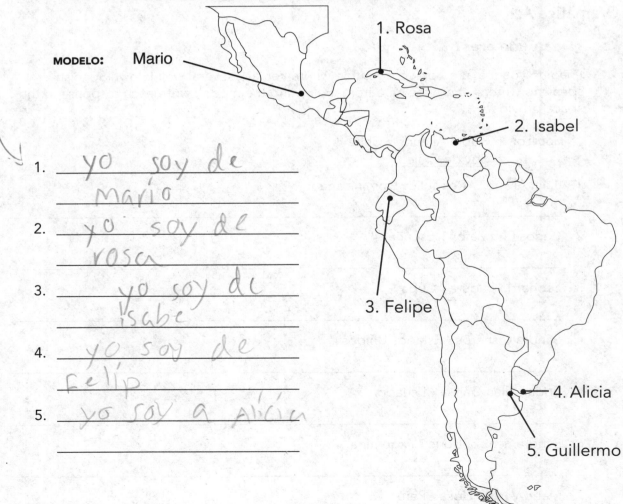

MODELO: Mario

1. yo soy de Mario
2. yo soy de rosa
3. yo soy de Isabe
4. yo soy de felip
5. yo soy a Alicia

15 Los cognados

Look at the following website of a hotel. Find the Spanish words that are cognates to the list of English words below. Write each word in the corresponding space.

1. satellite _satélite_
2. president _Presidente_
3. history _historia_
4. restaurant _restaurante_
5. celebration _celebración_

6. telephone _teléfono_
7. air _aire_
8. cafeteria _cafetería_
9. direct _directa_
10. discotheque _acondicionado_

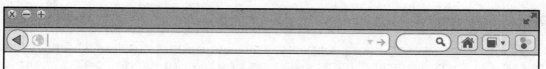

Hotel Presidente

En la conocida Avenida de los Presidentes, el Hotel Presidente levanta con gracia sus 10 pisos de historia.

El Hotel Presidente cuenta con 160 habitaciones. Todas las habitaciones disponen de aire acondicionado, caja fuerte, teléfono con línea directa y TV por satélite.

El Hotel Presidente también ofrece restaurante, cafetería, gimnasio, discoteca y salones para cualquier tipo de celebración.

16 Más cognados

Write the corresponding English word on the line that goes with the Spanish cognate.

1. elegante _____
2. la biología _____
3. inteligente _____
4. la radio _____
5. el carro _____
6. el hospital _____

7. el estéreo _____
8. la historia _____
9. el pijama _____
10. el aire _____
11. la mamá _____
12. rápido _____

Repaso

17 Diálogo completo

Imagine you are meeting Pedro, a Spanish-speaking student, for the first time. Write your side of the conversation in the spaces provided. Make sure the dialog follows a logical sequence.

PEDRO: ¡Hola!

TÚ: _____ ¡Hola! _____

PEDRO: ¿Cómo te llamas?

TÚ: _____ Bien _____

PEDRO: Yo me llamo Pedro.

TÚ: _____ me llamo hirae _____

PEDRO: Mucho gusto. ¿De dónde eres?

TÚ: _____ Si _____

PEDRO: No. Yo soy de El Salvador. ¿Cuántos años tienes?

TÚ: _____ No _____

PEDRO: Yo tengo quince años.

TÚ: _____ Adiós _____

PEDRO: Adiós.

👑 **18** **Expresiones en el salón de clase**

Your teacher is giving instructions to you and your classmates. Complete these common Spanish classroom expressions. Use p. 7 in your text as a guide. Follow the model.

MODELO: Open the book.
<u>Abran</u> el libro.

1. Read the first sentence.

   _____ la primera oración.

2. Choose the correct answer.

   _____ la respuesta correcta.

3. Listen carefully.

   _____ atentamente.

4. Write the answer.

   _____ la respuesta.

5. Speak in Spanish.

   _____ en español.

6. Take out a sheet of paper.

   _____ una hoja de papel.

7. Point out the capital on the map.

   _____ la capital en el mapa.

8. Look for the word.

   _____ la palabra.

9. Close the book.

   _____ el libro.

10. Do the homework.

   _____ la tarea.

👑 **19** **¿Qué artículo lo acompaña?**

Every singular noun in Spanish uses either the article *el* or *la* for the word "the." Some Spanish speakers add a definite article to certain country names. Add the correct definite article to the following nouns and countries.

1. _____ país

2. _____ República Dominicana

3. _____ Argentina

4. _____ capital

5. _____ alfabeto

6. _____ muchacha

7. _____ Uruguay

8. _____ acento

9. _____ Perú

10. _____ noche

20 ¿Tú quién eres?

Imagine you are part of an online network of Spanish-speaking students. A student contacts you via chat. Finish both sides of the conversation using appropriate expressions and completing the requested information.

A: ¡Hola! Mucho _____.

B: _____, ¿qué_____?

A: Yo me llamo _____.
    ¿Cómo te _____ tú?

B: _____.

A: ¿Cómo se _____
    tu nombre (*your name*)?

B: Se escribe _____.
    ¿_____ se escribe tu nombre?

A: Se _____.

B: Tengo _____ años.
    ¿ _____ tienes tú?

A: _____.

B: Soy de _____.
    ¿De dónde _____ tú?

A: _____.

B: ¡_____ luego!

A: ¡_____!

21 **Cultura: Saludos, fiestas y despedidas**

Based on what you have learned about *saludos* (greetings), *fiestas* (parties) and *despedidas* (farewells) among Spanish speakers, complete the following trivia using expressions from the word box. You may need to reference pp. 8-9 in your text.

> *"Cumpleaños feliz"*   hasta luego   *un beso*   *el cumpleaños*
>
> *dos besos*   *la quinceañera*   apretón de manos y abrazo

1. What is the expression in Spanish for the celebration of a girl's fifteenth birthday?

   _____

2. What is the word for "birthday" in Spanish?

   _____

3. What is the name of the "Happy Birthday" song in Spanish?

   _____

4. How do Spanish-speaking men commonly greet friends and relatives?

   _____

5. How do women and girls commonly greet friends and relatives in Spain?

   _____

6. How do women and girls commonly greet friends and relatives outside of Spain?

   _____

7. What is one way to say good-bye in Spanish?

Lección B

Vocabulario B1

1 **¿Qué tal?**

Choose an appropriate response to each statement or question on the left.

1. _____ Buenas tardes.   A. Hasta mañana.   B. Buenas tardes, señora.

2. _____ ¿Qué tal?   A. Bien, gracias.   B. Me llamo Carmen.

3. _____ Bien, ¿y tú?   A. Estoy regular.   B. Buenas noches.

4. _____ ¿Cómo están?   A. Buenas tardes.   B. Mal, muy mal.

5. _____ Hasta mañana.   A. Hasta pronto.   B. Buenos días.

6. _____ Adiós.   A. ¡Hola!   B. Hasta luego.

7. _____ Buenas noches.   A. Bien, ¿y tú?   B. Hasta mañana.

8. _____ Buenos días, señor.   A. Muchas gracias.   B. Buenos días.

9. _____ ¿Cómo estás?   A. Bien, ¿y tú?   B. Hasta pronto.

10. _____ ¡Hola!   A. Hasta mañana.   B. ¿Qué tal?

2 **Hasta mañana**

Complete each sentence logically with the appropriate word.

1. Buenos _____ .

2. _____ tardes.

3. ¿ _____ están ustedes?

4. Estoy mal, muy _____ .

5. ¿ _____ tal?

6. Bien, _____ .

7. Buenas noches, _____ Torres.

8. _____ pronto, Juan.

9. ¿Cómo está _____ , Sra. Chang?

10. _____ noches, Anita.

11. _____ días.

12. No estoy muy _____ .

13. _____ mañana.

14. Yo _____ regular.

3 Saludos y despedidas

Look at the pictures below and think of what the people might be saying to each other. Write the expressions that best fit the situation inside the speech bubbles.

4 Los saludos en el mundo hispano

Choose the greetings that are appropriate for each time of the day.

8:00 AM	Buenos días. Buenas tardes. Hasta mañana.. Muy buenas noches. Hola.
2:30 PM	Hola. Buenos días. Muy buenas noches. Buenas tardes. Muy bien, gracias.
7:00 PM	Buenas tardes. Mucho gusto. Buenas noches. Hasta pronto. Muy buenas noches.

5 Saludos informales y formales

Are the following expressions appropriate to greet a friend or a person whom you would address with a title? Indicate which of the expressions are formal and which are informal. Write **F** for *formal* or **I** for *informal* in the space provided.

1. _____ Muy buenos días.

2. _____ ¿Qué tal?

3. _____ ¿Cómo estás?

4. _____ ¡Hola!

5. _____ ¿Cómo está Ud.?

6. _____ Buenas tardes.

7. _____ Buenas noches.

8. _____ Bien, ¿y tú?

9. _____ Hasta luego, Juanita.

10. _____ Hasta mañana, Sr. García.

Gramática B1

6 Pronombres personales

How would you address the following people in Spanish? Write *tú, usted, ustedes, vosotros* or *vosotras* in the space provided.

1. Marta and Carlos, your friends from Mexico: _____

2. your little brother: _____

3. the parent of a classmate: _____

4. Victoria and Josefina, your friends from Spain: _____

5. the governor of your state: _____

6. Hugo and Armando, your friends from Spain: _____

7. your grandparents from Costa Rica: _____

8. the school principal: _____

9. your cousin from Venezuela: _____

Cultura

7 **Gente amable**

Read the following situations. Choose the appropriate expression for each situation.

1. Mateo is having lunch with his friends. He is about to leave the gathering. What does he say?

   A. Con permiso   B. Por favor

2. Lucía is at the mall. She asks people in a crowded area to let her pass by. What does she say?

   A. Perdón   B. Con permiso

3. Marta is having a conversation with Pablo. Pablo interrupts her because he wants her to repeat her last sentence. What does he say?

   A. Gracias   B. Perdón

4. Miguel asks Luis for a pen. What does he say to begin his request?

   A. Por favor   B. Muchas gracias

5. Laura is walking on the street. She bumps into a lady. What does Laura say?

   A. Perdón   B. Con permiso

6. Luis lends a pen to Miguel. What does Miguel say to Luis?

   A. Por favor   B. Gracias

7. Juan goes to a job interview. How does he greet the interviewer?

   A. Buenas tardes.   B. Hola, ¿qué tal?

8. Lisa runs into one of her teachers. How does she greet him?

   A. ¿Cómo está Ud.?   B. ¿Qué hay?

9. Manuel meets his classmate at the school cafeteria. What does he say?

   A. Hola, ¿qué tal?   B. ¿Cómo está Ud.?

10. Jaime joins his teenage friends at a birthday party. What does he say?

   A. Buenas tardes.   B. ¿Qué hay?

Vocabulario B2

8 **Crucigrama**

Complete the crossword puzzle with the correct spelling of the numbers provided.

Horizontales	**Verticales**
1. 22	2. 70
3. 100	3. 50
4. 90	5. 30
6. 60	6. 7
7. 11	
8. 40	

9 **Cheques personales**

Complete the following checks by writing out each sum.

Bancomer   CHEQUE NO. 6654

PÁGUESE A LA
ORDEN DE _____I.N. E._____ $ __55.00__

EN LETRAS LA
SUMA DE _____ PESOS.

_____

6654 7654 01001 007634521

Bancomer   CHEQUE NO. 6655

PÁGUESE A LA
ORDEN DE ____Joaquín Sandoval_____ $ __26.00__

EN LETRAS LA
SUMA DE _____ PESOS.

_____

6654 7654 01001 007634521

Bancomer   CHEQUE NO. 6656

PÁGUESE A LA
ORDEN DE ____Novedades_____ $ __87.00__

EN LETRAS LA
SUMA DE _____ PESOS.

_____

6654 7654 01001 007634521

Nombre: _____ Fecha: _____

10 Números de teléfono

Write the telephone number of each restaurant given, following the model.

MODELO: Las Rejas: <u>dieciséis, diez, ochenta y nueve</u>

Guía de restaurantes

Mesón de Pincelín
Las Norias, 10. Almansa. Tel.: 34 60 07.

Amparito Rico
Toledo, 19. Guadalajara. Tel.: 21 46 39.

Gran Mesón
Ronda de Ciruela, 34. Ciudad Real. Tel.: 22 72 39.

Minaya
Mayor, 23. Guadalajara. Tel.: 21 82 53.

Las Rejas
Avda. Brasil s/n. Las Pedroñeras. Tel.: 16 10 89.

Adolfo
Granada, 6. Toledo. Tel.: 32 73 15.

Mesón Casas Colgadas
Canónigos, s/n. Cuenca. Tel.: 22 35 52.

1. Mesón Casas Colgadas:

_____

2. Adolfo:

_____

3. Gran Mesón:

_____

4. Amparito Rico:

_____

5. Minaya:

_____

6. Mesón de Pincelín:

_____

¡Qué chévere! 1 Workbook   © Carnegie Learning, Inc.

11 Con cortesía

Look at the people in the drawing and imagine what they would say in each situation. Choose an appropriate expression from the word box and write it inside the speech bubble.

Con permiso.   Con mucho gusto.   Perdón.

1.

2.

3.

Gramática B2

12 Las horas del día

Sort the following times of day from earliest to latest. Number each line 1–8 to show the correct order.

1. ____1____   Son las dos y media de la tarde.

2. ____8____   Son las nueve de la noche.

3. ____9____   Es mediodía.

4. _____   Son las nueve menos veinte de la mañana.

5. _____   Son las dos menos diez de la tarde.

6. _____   Es medianoche.

7. _____   Son las diez y cuarto de la noche.

8. _____   Son las siete y diez de la mañana.

13 ¿Qué hora es?

What time is it? Look at each clock and write the correct time in the space provided.

1. _____

2.  _____

3. _____

4. _____

5. _____

6. _____

14 La geografía y la hora

Did you know that when it is seven o'clock in the morning in California, it is already four o'clock in the afternoon in Spain? Look at the following map showing various time zones. Use the clocks at the bottom of the map to help you answer each question.

MODELO: Es mediodía en España. ¿Y en Guinea Ecuatorial?
<u>Es la una de la tarde en Guinea Ecuatorial.</u>

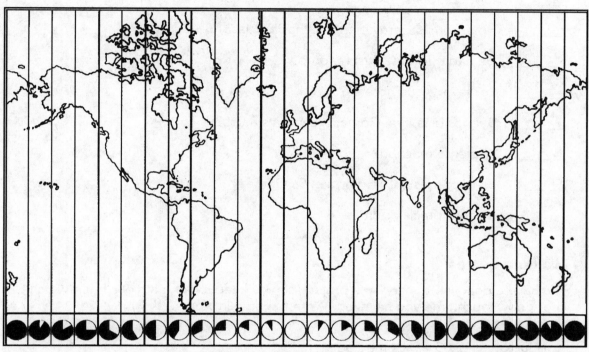

0:00 1:00 2:00 3:00 4:00 5:00 6:00 7:00 8:00 9:00 10:00 11:00 12:00 13:00 14:00 15:00 16:00 17:00 18:00 19:00 20:00 21:00 22:00 23:00 24:00

1. Es mediodía en España. ¿Y en Cuba?

   _____

2. Son las ocho de la mañana en Venezuela. ¿Y en Argentina?

   _____

3. Son las tres de la tarde en Chile. ¿Y en Guatemala?

   _____

4. Son las seis de la noche en la República Dominicana. ¿Y en Nicaragua?

   _____

5. Es medianoche en Colombia. ¿Y en España?

   _____

👑
15 **Saludos y despedidas**

Sra. Gómez and Tomás are neighbors. One morning, they run into each other at the supermarket. Number each line 1–10 to show a logical conversation.

_____ ¡Uy! Gracias, Sra. Gómez. ¡Hasta mañana!

_____ El Sr. Gómez no está muy bien.

_____ Es mediodía.

_____ Hola, Tomás. Estoy bien, muchas gracias. ¿Y tú?

_____ De nada, Tomás. Hasta pronto.

_____ Por favor, ¿qué hora es?

_____ Buenos días, Sra. Gómez, ¿cómo está Ud.?

_____ Lo siento mucho.

_____ Bien, gracias. ¿Cómo está el Sr. Gómez?

_____ Muchas gracias, Tomás.

👑
16 **¡La hora que es!**

You have a deadline to hand in a project, so you keep looking at your smart watch to check how much time you have left. Write the time in words.

MODELO: 12:00 PM ¡Es mediodía!
6:35 PM ¡Son las seis y treinta y cinco de la tarde!

1. `12:25PM` ¡_____!

2. `01:45PM` ¡_____!

3. `05:20PM` ¡_____!

4. `10:25PM` ¡_____!

5. `11:50PM` ¡_____!

6. `12:00AM` ¡_____!

7. `04:15AM` ¡_____!

8. `07:30AM` ¡Ay! ¡Ya (*already*) _____!

17 Expresiones de cortesía

Every language has courtesy formulas, and Spanish is no exception. Complete each mini-dialog with the correct expressions.

Buenas tardes, señorita. ¿Qué hora (1) _____?

(2) _____ las cinco menos cuarto de la (3) _____.

Buenos (4) _____, señor y señora Cantú. ¿ (5) _____ están Uds.?

Muy (6) _____, gracias.

Con (7) _____, por favor.

¡Con (8) _____ gusto!

(9) _____, mamá. ¿Cómo (10) _____ tú?

Yo (11) _____ muy mal.

¿(12) _____ (13) _____ papá?

Él (14) _____ (15) _____ bien.

18 ¿Qué respondes?

You run into an acquaintance on the street. How would you reply in each situation? Write a logical response to each item.

1. ¡Hola! ¿Cómo estás? _____

2. Perdón. ¿Qué hora es? _____

3. ¡Muchas gracias! _____

4. Con permiso. _____

5. Hola, ¿qué tal? _____

6. Estoy mal, muy mal. _____

7. Hasta mañana. _____

8. ¡Hasta pronto! _____

Unidad 2

Lección A

Vocabulario A1

1 **Preguntas y respuestas**

Match each question on the left with the most logical response on the right.

1. _____ ¿Quién es él?   A. Isabel Gómez.

2. _____ ¿Cómo se llama ella?   B. Me llamo Rafael.

3. _____ ¿De dónde son ellos?   C. Él es de Chicago.

4. _____ ¿Quién eres tú?   D. No, ellas son de México.

5. _____ ¿De dónde es él?   E. Él es Juan.

6. _____ ¿Son las chicas de aquí?   F. Ellos son de California.

2 **¿Quién es?**

Diana and Alejo are at a party organized by the International Club. Complete the following conversation between them with the appropriate words.

ella   eres   llama   dónde   él   quién   es   soy   de

DIANA: Alejo, ¿(1) _____ es?

ALEJO: ¿Quién? ¿Ella?

DIANA: No, (2) _____.

ALEJO: Se (3) _____ Ricardo.

DIANA: ¿De (4) _____ es él?

ALEJO: Es (5) _____ Venezuela.

DIANA: ¿Y (6) _____?

ALEJO: Laura (7) _____ de Puerto Rico.

DIANA: ¿Y tú, Alejo? ¿De dónde (8) _____?

ALEJO: Yo (9) _____ de Nicaragua.

Gramática A1

3 **Pronombres personales**

Rewrite the following sentences, replacing the underlined words with an appropriate subject pronoun.

MODELO: Joaquín y yo somos de Texas.
Nosotros somos de Texas.

1. María González es de la Florida.

   _____

2. El señor y la señora López son de California.

   _____

3. Jorge es de la República Dominicana.

   _____

4. Magdalena y Pilar son de Arizona.

   _____

5. Miguel y yo somos de Estados Unidos.

   _____

6. Marcos y Ronaldo son de Nueva York.

   _____

7. Me llamo Luisa. Olga y yo somos de Cuba.

   _____

8. El Sr. Morales es de Puerto Rico.

   _____

9. La señora Núñez y la señorita Chávez son de El Paso.

   _____

10. Tú y yo somos de aquí.

   _____

4 ¿De dónde son?

Write six sentences, telling where the following people are from.

MODELO: Alma es de Venezuela.

MODELO: Alma

1. Cristina y Elvira
2. Andrés
3. tú
4. Sofía
5. nosotros
6. Miguel y Patricia
7. Ud.

1. _____

2. _____

3. _____

4. _____

5. _____

6. _____

7. _____

5 **No son de...**

Your friend is mistaken about the place of origin of the following famous people. Make the statements negative and then tell where they are from, using the cues provided.

MODELO: Antonio Banderas es de México. (España)
Antonio Banderas no es de México. Es de España.

1. Celia Cruz es de Puerto Rico. (Cuba)

   _____

2. Frida Kahlo y Diego Rivera son de Argentina. (México)

   _____

3. Alex Rodríguez es de California. (Nueva York)

   _____

4. Rigoberta Menchú es de Chile. (Guatemala)

   _____

5. Shakira y Juanes son de España. (Colombia)

   _____

6 **A escribir**

Use an item from each column to write five sentences.

yo	es	de México
Ud.	soy	de Nueva York
Juan y Ana	eres	de San Antonio
nosotros	son	de Puerto Rico
tú	somos	de Estados Unidos

1. _____

2. _____

3. _____

4. _____

5. _____

Cultura

7 **El español en Estados Unidos**

Choose the words that have been borrowed from Spanish.

patio   burrito   culture   jazz   condor   banana   language

tornado   cumbia   community   demand   salsa   apple

8 **El idioma español y su cultura**

Decide whether each of the following statements about Hispanic culture in the United States is *cierto* (true) or *falso* (false). Write **C** or **F** in the space provided.

1. _____ Words like *cafeteria*, *taco*, and *mesa* are of Spanish origin.

2. _____ Rhythms like *salsa*, *merengue*, and *cumbia* are American rhythms.

3. _____ The cowboy tradition in America has its roots in Mexico and Spain.

4. _____ *San Agustín* is the original name of the city currently located in Florida.

5. _____ Names like Los Angeles, Monterey, and Grand Canyon are of English origin.

6. _____ Currently, the Hispanic population in the United States is decreasing.

9 **Los estudiantes nuevos**

Manuel and Sara are talking about two new students. Complete their dialog with the correct words from the word box.

cómo	son	capital	de	Quiénes	estoy	ellas

MANUEL: Hola, Sara. ¿(1) _____ estás?

SARA: (2) _____ bien. Gracias, Manuel. ¿(3) _____ son ellas?

MANUEL: (4) _____ son Mónica y Andrea.

SARA: ¿De dónde (5) _____ ellas?

MANUEL: Ellas son (6) _____ Florida.

SARA: ¿Son ellas de la (7) _____ de Florida?

MANUEL: No, son de San Agustín.

Now research three new facts about San Agustín so you can talk with your new classmates about their hometown. You can write your findings in English.

_____

_____

Vocabulario A2

10 **¿Cómo se dice?**

Match each question on the left with the correct response on the right.

1. _____B_____ ¿Cómo se dice *backpack*?   A. Quiere decir *notebook*.

2. _____4_____ ¿Cómo se dice *pencil*?   B. Se dice *mochila*.

3. _A @_____ ¿Qué quiere decir *cuaderno*?   C. Se dice *ventana*. ✓

4. _____E_____ ¿Cómo se dice *window*?   D. Quiere decir *chair*.

5. _____F_____ ¿Qué quiere decir *marcador*?   E. Quiere decir *marker*.

6. _____D_____ ¿Qué quiere decir *silla*?   F. Se dice *lápiz*.

11 **¿Quién es?**

Look at the drawing and read the questions. Write the name of the person in the space provided.

Sr. Vargas

Marta

Alejandro

Sr. Castro

Silvia

Mauricio

1. ¿Quién es la chica con el libro? _____Sr, Castro_____

2. ¿Quién es el señor con el bolígrafo? _____Silvia_____

3. ¿Quién es el chico con el papel? _____Sr. Vargas_____

4. ¿Quién es el señor con el periódico? _____Marta_____

5. ¿Quién es la chica con la mochila? _____Mauricio Silvia_____

6. ¿Quién es el chico con el lápiz? _____alejando_____

12 Crucigrama

Complete the following crossword puzzle with the Spanish words that correspond to the pictures.

Horizontales

4.

6.

8.

9.

10.

11.

Verticales

1.

2.

3.

5.

7.

¡Qué chévere! 1 Workbook   © Carnegie Learning, Inc.

Gramática A2

13 Artículos definidos

Write *el, la, los* or *las* in the space provided.

MODELO: <u>el</u> cuaderno

1. <u>el</u> bolígrafo
2. <u>la</u> amigas
3. <u>el</u> profesor
4. <u>las</u> libros

5. <u>el</u> marcador
6. <u>la</u> mochilas
7. <u>los</u> reloj
8. <u>el</u> periódicos

9. <u>~~las~~</u> paredes
10. <u>el</u> silla
11. <u>las</u> chicas
12. <u>la</u> borrador

14 Identifica

Skim the following advertisement to identify five nouns. Write the nouns in the space provided and next to each one, write the letter **M** for masculine or **F** for feminine. Use the definite articles and the endings of the nouns as clues.

MODELO: respuesta—F

RENAULT Scénic 2

Todo comenzó el día en que me compré el Scénic 2. Apenas me subí sentí el confort de un auto distinto. La posición de manejo sobreelevada, la gran visibilidad, la agilidad, la respuesta de su motor 2.0 L de 140 cv y la funcionalidad de todos sus comandos. Los asientos traseros individuales, el gran espacio interior y sobre todo la seguridad. Sentí que encontré otro espacio para mi vida, mi nueva vida. www.scenic2.com.ar

Salí, vivilo todo.

1. <u>el</u>
2. <u>la</u>
3. <u>los</u>
4. <u>la</u>
5. <u>mi</u>

15 Plurales

Change the following words to the plural form.

MODELO: un libro ➔ <u>unos libros</u>

1. un papel ➔ _____

2. un lápiz ➔ _____

3. una mochila ➔ _____

4. una revista ➔ _____

5. un marcador ➔ _____

6. una profesora ➔ _____

16 ¿Qué son?

Identify the illustrated objects, following the model.

MODELO: <u>Es una regla.</u>

1. _____

2. _____

3. _____

4. _____

5. _____

17 ¿Qué hay en la clase?

For each item listed, say whether it is found in your classroom. If it is, include how many. Follow the model.

MODELO: mapa: <u>Hay dos mapas. / No hay un mapa.</u>

1. cesto de papeles: _____

2. estudiante: _____

3. puerta:_____

4. ventana: _____

5. silla: _____

6. pared: _____

7. sacapuntas:_____

8. reloj:_____

9. pizarra: _____

10. pupitre: _____

Lectura informativa

18 Las notas

Use the grading scale to convert the following grades for your Mexican pen pal. Write S, EX, MB, B, NM or D in the space provided.

	Escala
10	Superior (S)
9	Excelente (EX)
8	Muy Bueno (MB)
7–6	Bueno (B)
5	Necesita Mejorar (NM)
4–0	Deficiente (D)

1. _____ 90% en matemáticas

2. _____ 60% en historia

3. _____ 100% en arte

4. _____ 40% en música

5. _____ 80% en español

6. _____ 50% en biología

Nombre: _____   Fecha: _____

Repaso

19 ¿Qué tienes en la mochila?

Make a list of the school supplies you carry in your backpack. Be sure to include the appropriate indefinite articles.

En mi mochila tengo...

_____
_____
_____
_____
_____
_____

20 Artículos definidos e indefinidos

When you refer to specific nouns (*nombres*) you use definite articles, but when you refer to unspecified or unknown nouns you use indefinite articles. Under the *Artículo definido* column, add the correct definite article for each noun. Then, write the plural noun with its corresponding indefinite article. Follow the model.

		Artículo definido	Nombre singular	Artículo indefinido	Nombre plural
MODELO:	1.	la	hora	unas	horas
	2.		cuaderno		
	3.		sacapuntas		
	4.		libro		
	5.		mochila		
	6.		papel		
	7.		examen		
	8.		reloj		
	9.		pared		
	10.		periódico		
	11.		acento		

21 ¿Quiénes son?

Each person stands out for a reason. Compose a sentence with the words provided. Add a definite article to each noun and use the correct form of the verb *ser*.

> **MODELO:** ella / ser / amiga de Laura
> Ella es la amiga de Laura.

1. él / ser / estudiante / de Santo Domingo

   _____

2. tú / ser / muchacha / con / calculadora

   _____

3. yo / ser / profesora / de / clase / de / español

   _____

4. nosotros / ser / estudiantes / nuevos

   _____

5. Luz / y / Diana / ser / amigas / de Panamá

   _____

22 Preguntas en clase

When school starts, students have many questions. Write the logical question for each answer.

1. _____

   En español, se dice pupitre.

2. _____

   Ella se llama Marisol.

3. _____

   El profesor de matemáticas es Julio Martínez.

4. _____

   Nosotros somos de Costa Rica.

5. _____

   Quiere decir *magazine*.

6. _____

   En la mochila hay unos cuadernos, un libro y unos lápices.

Nombre: _____ Fecha: _____

👑
23 **Algo personal**

Look around you in class. Answer each question with a complete sentence. Use the vocabulary and expressions you have learned.

1. ¿Cómo se llama tu (*your*) amigo de la clase de español?

   _____

2. ¿Qué hay en la mesa de la profesora?

   _____

3. ¿Quién está en la pizarra?

   _____

4. ¿Qué hora es?

   _____

5. ¿Qué hay en tu (*your*) pupitre?

   _____

6. ¿Quiénes son los chicos con las mochilas?

   _____

7. ¿De dónde son los amigos?

   _____

8. ¿Qué hay en la pared?

   _____

👑
24 **¿Qué hay en la clase?**

Your little brother asks you about your Spanish class. Write four sentences describing what can be found in the classroom.

   MODELO: En la clase de español hay...

1. _____
2. _____
3. _____
4. _____

Now write two sentences describing what cannot be found in the classroom.

   MODELO: En la clase de español no hay...

5. _____
6. _____

Lección B

Vocabulario B1

1 **¿Qué clase es?**

Match each class with its appropriate subject matter.

1. _____ matemáticas   A. la historia y la cultura de España

2. _____ español   B. los animales y las plantas

3. _____ biología   C. Picasso, Monet, Van Gogh

4. _____ arte   D. *Romeo y Julieta* de Shakespeare

5. _____ música   E. Bach, Mozart, Beethoven

6. _____ inglés   F. álgebra, geometría, trigonometría

2 **Siete colores**

In the word-square puzzle, find seven names of colors. The words may read horizontally, vertically or diagonally.

S	N	V	Y	R	S	A	W	A	T
T	A	E	E	O	D	M	Z	D	E
R	E	R	G	G	T	A	X	U	D
O	F	D	O	R	A	R	A	S	L
J	E	E	C	I	O	I	R	O	S
O	R	B	L	S	P	L	E	L	L
Q	J	E	L	I	U	L	G	M	V
U	B	L	A	N	C	O	H	A	R

3 ¿Sí o no?

Read the statements and decide whether they are true or false, based on Elena's class schedule. If the statement is true, write *sí* in the space provided. If it is false, write *no*.

El horario de clases de Elena					
Hora	Lunes	Martes	Miércoles	Jueves	Viernes
8:00 AM	matemáticas	matemáticas	matemáticas	matemáticas	matemáticas
8:50 AM	español	español	español	español	español
10:40 AM	historia	historia	historia	historia	historia
11:45 AM	inglés	computación	inglés	computación	inglés
12:35 AM	almuerzo	almuerzo	almuerzo	almuerzo	almuerzo
1:45 PM	biología	biología	biología	biología	biología
2:35 PM	arte	música	arte	música	arte

1. _____ Elena tiene seis clases en un día.

2. _____ La clase de matemáticas es a las ocho de la mañana.

3. _____ La clase de español es a las diez y cuarenta de la mañana.

4. _____ Hay clase de inglés martes y jueves a las doce menos cuarto.

5. _____ No hay clase de música los lunes, miércoles y viernes.

6. _____ El almuerzo es a la una y cuarenta y cinco de la tarde.

7. _____ Elena tiene clase de biología a las dos menos cuarto.

8. _____ La clase de computación es a las doce menos cuarto los martes y los jueves.

9. _____ Hay clase de historia los lunes, miércoles y viernes a las nueve menos diez de la mañana.

10. _____ Las clases de Elena terminan a la una y treinta y cinco de la tarde.

¡Qué chévere! 1 Workbook

Gramática B1

4 Sustantivos y adjetivos

For each sentence, underline the noun and circle the adjective. Then, check the appropriate columns to indicate whether it is masculine or feminine and singular or plural. Follow the model.

MODELO: Daniel lleva una camiseta (nueva)

	Masculine	Feminine	Singular	Plural
MODELO		√	√	
1. Sergio es un estudiante nuevo.				
2. La chica nueva es de México.				
3. Los zapatos son negros.				
4. Las paredes son blancas.				
5. Ella lleva una blusa amarilla.				
6. Necesito unos lápices rojos.				

5 La ropa y los colores

Maricela is talking on her cell phone, describing what people are wearing to the party. Complete her statements with the correct form of the adjective in parentheses. Be sure the adjective agrees in gender and number with the noun it describes.

MODELO: Arturo lleva una camiseta roja. (rojo)

1. Nuria y Pilar llevan unas blusas _____. (blanco)

2. Mi amigo Pepe lleva unos calcetines _____. (rojo)

3. Mabel lleva una falda _____. (amarillo)

4. Mauricio lleva unos zapatos _____. (gris)

5. Dos chicos llevan unos *jeans* _____. (negro)

6. Los pantalones de Selena son _____. (verde)

7. Yo llevo pantalón _____. Es _____. (azul, nuevo)

6 En la clase de arte

Complete the sentences about art class by conjugating each verb correctly according to the subject.

1. Yo _____ con la profesora sobre (about) la clase de arte. (hablar)

2. En la clase de arte, mis amigos y yo _____ a los artistas modernos. (estudiar)

3. Tú _____ lápices de color para la clase. (necesitar)

4. Ud. _____ con mi mamá sobre el libro de arte. (hablar)

5. Los estudiantes no _____ ropa blanca a la clase. (llevar)

6. La clase _____ a las tres de la tarde. (terminar)

7. Yo no _____ estudiar mucho en la clase de arte. (necesitar)

8. Mis amigos y yo _____ los proyectos pronto. (terminar)

9. Tú _____ ropa de muchos colores a la clase. (llevar)

7 En el colegio

Complete each sentence logically with the appropriate verb form. You will need to use two verbs twice.

hablar   llevar   necesitar   terminar   estudiar

MODELO: La señora Sánchez <u>habla</u> inglés y español.

1. Jaime y yo _____ papel para la clase de arte.

2. Los estudiantes _____ pantalones grises y camisas blancas.

3. La clase de historia _____ al mediodía.

4. ¿_____ tú computación?

5. Yo _____ en el Colegio Cervantes.

6. Gabriela _____ español muy bien.

7. Uds. _____ una calculadora en la clase de matemáticas.

8   **¿Qué necesitan?**

Write a sentence telling what the person(s) need(s). Use the pictures as clues and the correct forms of the verb *necesitar* and the adjective *nuevo*. Follow the model.

MODELO: Sara

Sara necesita un lápiz nuevo.

1.    nosotros

_____

2.    Pedro

_____

3.    Ana y Lupe

_____

4.   yo

_____

5.   Ernesto

_____

6.    tú

_____

9 **Radio Nacional**

Answer the questions based on the following schedule for an Argentinian radio station. Note that in Argentina, the 24-hour clock is used. In this system, 14.00 is the same as two o'clock in the afternoon.

MODELO: ¿A qué hora es "De Segovia a…"?
<u>Es a las nueve de la noche.</u>

FM Música

Radio Nacional

6.00: La mañana de Radio Nacional.

9.00: El órgano (A. Gómez).

10.00: Cuadro de situación (S. Crivelli).

11.00: Aproximación a la ópera (Juan Carlos Montero).

13.00: Bailando sobre el Titanic.

14.00: Intimidad con la música.

16.00: Teatro Cervantes.

16.30: Operamante (C. Ratier).

20.00: Discoteca F. M. 96.7

21.00: De Segovia a… con S. Domínguez.

22.00: España y su música (O. Monzo).

23.00: Discoteca.

24.00: Clásicos Siglo XX, con Alicia Terzián.

1. ¿A qué hora es "El órgano"?

   _____

2. ¿A qué hora es "Bailando sobre el Titanic"?

   _____

3. ¿A qué hora termina el Teatro Cervantes?

   _____

4. ¿A qué hora es "España y su música"?

   _____

5. ¿Cómo se llama el programa de las once de la noche?

   _____

6. ¿A qué hora es "Clásicos Siglo XX"?

   _____

Cultura

10 **La cultura y la educación hispana**

Choose the correct completion for each statement about culture and education in Spanish-speaking countries.

1. You can explore coral reefs in…

   A. Honduras.   B. Chile.

2. In… you can visit pyramids and jungles.

   A. Chile   B. México

3. You can visit the driest desert in the world in…

   A. México.   B. Chile.

4. Joining a student exchange program can be a… experience.

   A. very fulfilling   B. barely fulfilling

5. In a student exchange program, you live…

   A. at a hotel.   B. with a family.

6. If you host an exchange student in your home…

   A. only she benefits.   B. you both benefit.

11 **Los colegios en el mundo hispano**

Read the following statements. Based on what you have learned about schools in Spanish-speaking countries, decide whether the statements refer to their schools or to our schools. Write *theirs* or *ours* in the space provided.

1. _____ Students attend class all day.

2. _____ Schools offer a morning and an afternoon shift.

3. _____ Students usually learn a second language in elementary school.

4. _____ Soccer is the most popular sport in gym class.

5. _____ The curriculum in high school is very demanding.

6. _____ There are many extracurricular activities for students.

Vocabulario B2

12 La computadora

Identify the parts of the computer in the following illustration.

1. _____

2. _____

3. _____

4. _____

13 Números y direcciones

Your friend is interested in staying at Hotel San Roque, a small hotel in Spain. Use the information in this magazine clipping to answer his questions.

A. DIRECCIÓN: Esteban de Ponte, 32. 38450, Garachico. Tenerife. Tel.: 922 13 34 35. Fax: 922 13 34 06. Web: www.hotelsanroque.com E-mail: info@hotelsanroque.com **B. ACCESOS:** autopista T1 hasta el Puerto de la Cruz. De ahí, tomar la C-820 hasta Icod de los Vinos y Garachico. En el mismo Garachico, seguir indicaciones hasta el hotel, que está a unos 25 kilometros del Puerto de la Cruz. **C. CATEGORÍA:** tres estrellas. **D. INSTALACIONES:** nueve habitaciones dobles, siete dúplex, dos *junior suites* y dos *suites* con baño completo, caja fuerte, minibar, TV, video y equipo de música, sala de lectura y salón social, patio-bar, sauna, solario y piscina climatizada. **E. GASTRONOMÍA:** cocina de mercado, asesorada por el restaurante Celler de Can Roca en Girona. **F. PRECIOS:** doble estándar: 175 €; dúplex: 187 €; *junior suite*: 225 €; *suite*: 247 €. Desayuno incluido.

1. ¿Cuál es la dirección del hotel?_____

2. ¿Cuál es el número de teléfono? _____

3. ¿Cuál es la dirección de correo electrónico? _____

4. ¿Cuál es la dirección de Internet? _____

Gramática B2

14 El verbo *estar*

Complete the following e-mail message with the correct forms of the verb *estar*.

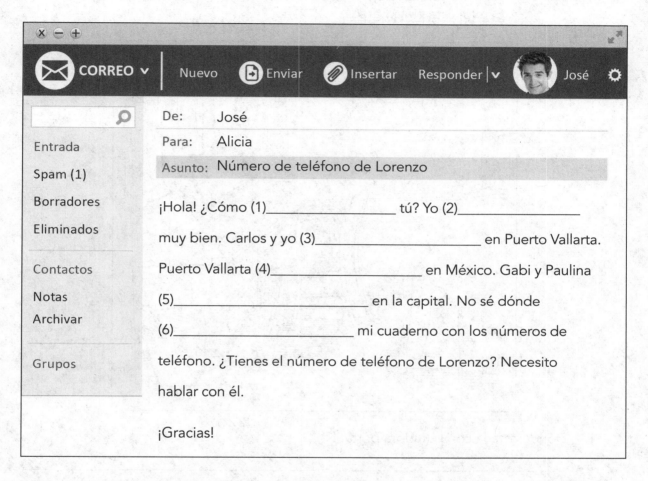

CORREO ∨   Nuevo   ◉ Enviar   ◎ Insertar   Responder | ∨   José   ⚙

Entrada
Spam (1)
Borradores
Eliminados

Contactos
Notas
Archivar

Grupos

De: José

Para: Alicia

Asunto: Número de teléfono de Lorenzo

¡Hola! ¿Cómo (1)_____ tú? Yo (2)_____

muy bien. Carlos y yo (3)_____ en Puerto Vallarta.

Puerto Vallarta (4)_____ en México. Gabi y Paulina

(5)_____ en la capital. No sé dónde

(6)_____ mi cuaderno con los números de

teléfono. ¿Tienes el número de teléfono de Lorenzo? Necesito

hablar con él.

¡Gracias!

Decide whether the following statements are *cierto* (true) or *falso* (false), according to the e-mail. Write **C** or **F** in the space provided.

7. The purpose of this message is to obtain a phone number. _____

8. Carlos and José are in the capital of Mexico. _____

9. Gabi and Paulina have José's notebook with the phone numbers. _____

10. Alicia is not in Puerto Vallarta. _____

11. Alicia is friends with Lorenzo y José. _____

15 ¿Dónde está?

Look at the illustration of José's bedroom and answer the questions that follow.

MODELO: ¿Dónde está el reloj?
El reloj está en la pared.

1. ¿Dónde está la computadora portátil?

   _____

2. ¿Dónde está la mochila?

   _____

3. ¿Dónde está el mapa de Estados Unidos?

   _____

4. ¿Dónde están los libros?

   _____

5. ¿Dónde están los papeles?

   _____

6. ¿Dónde están las cortinas (*curtains*)?

   _____

Repaso

16 Diálogo completo

The school newspaper is going to write an article about a school in Mexico, but the reporter only recorded the answers of the student he interviewed. As the editor, write logical questions in the spaces provided.

1. _____

   Me llamo Juan Carlos Macedo Olivas.

2. _____

   Mi correo electrónico es JCOlivas@telecom.mex.

3. _____

   Es el 9-76-13-32.

4. _____

   Mi colegio se llama Preparatoria Nevada.

5. _____

   Está en Guadalajara, México.

6. _____

   Tengo siete clases en un día.

7. _____

   Terminan a las tres de la tarde.

8. _____

   Sí, mañana hay un examen de historia.

9. _____

   El examen es a las diez y media de la mañana.

10. _____

   Allí está. Sobre la mesa.

17   En la clase de computación

Answer each question logically in a complete sentence.

1. ¿Cómo se dicen "@" y "." en español?

_____

2. ¿Qué hay en una clase de computación?

_____

3. ¿De qué color es la pantalla de la computadora?

_____

4. ¿Qué días y a qué hora tienes clase de computación?

_____

18   ¡Clases, clases!

Complete each question using the words from the list. If the blank requires an *-ar* verb, be sure to conjugate it according to the subject. Then, answer each question.

estar	marcadores	horario	hablar	terminar
clase	cuántos	estudiar	necesitar	

1. ¿De qué color son los _____ de la pizarra?

_____

2. ¿A qué hora _____ la _____ de historia?

_____

3. ¿_____ profesores _____ español en tu colegio?

_____

4. ¿Cuántos chicos _____ en la clase de inglés?

_____

5. ¿Dónde _____ el _____ de clases?

_____

6. ¿Qué _____ Uds. para la clase de matemáticas?

_____

19 Conversación por teléfono

Complete the following phone conversation by using words from the word box.
Conjugate the verb *ser* whenever it needs to be used.

adiós	*ser*	aló	*cómo*	perdón	*tienes*	*equivocado*

LAURA: ¡(1) _____! Raquel, ¿(2) _____ tú? Soy yo, Laura.

FELIPE: ¿Cómo? No, (3) _____ Felipe.

LAURA: ¿Es el 7-76-16-20?

FELIPE: ¿ (4) _____? No, tú (5) _____ el número

          (6) _____. (7) _____ el 7-73-16-20.

LAURA: ¡Ay, (8) _____! Gracias y (9) _____.

FELIPE: Adiós.

20 Sobre Gina Valdés

Answer the following questions about Gina Valdés, based on the reading on p. 97 of your text.

1. Where was Gina Valdés born? In what language(s) does she write?

   _____

   _____

2. Where has she taught?

   _____

   _____

3. What does Gina Valdés write about in *Puentes y fronteras*/Bridges and Borders?

   _____

   _____

4. In your opinion, what did Gina Valdés gain by growing up on both sides of the border?

   _____

   _____

5. What is the main idea of the poem on p. 98?

   _____

   _____

Nombre: _____ Fecha: _____

Unidad 3

Lección A

Vocabulario A1

1 **¿Dónde están?**

Where is everyone? Match the phrases in English on the left with the appropriate phrase in Spanish on the right. Write the letter of your choice in the space provided.

1. _____ Jorge is depositing a check.   A. Está en el cine.

2. _____ Margarita is getting her teeth cleaned.   B. Está en el parque.

3. _____ Laura is checking out a book.   C. Está en el banco.

4. _____ Gustavo is watching a movie.   D. Está en el médico.

5. _____ Guillermo is jogging.   E. Está en el dentista.

6. _____ Sr. López is teaching biology.   F. Está en el hotel.

7. _____ Sra. Sainz is resting after a long trip. G. Está en la escuela.

8. _____ Josefina is getting a flu shot.   H. Está en la biblioteca.

2 **¡Vamos!**

Roberto and Marta are at the park when Rocío shows up. Complete the conversation between them with the appropriate words.

| encantada | quiero | simpática | vamos | mañana |
| por qué | presento | mucho gusto | cuándo | fiesta |

MARTA: Allí está mi amiga Rocío. Es una chica (1) _____. ¡Hola, Rocío!

ROCÍO: ¡Hola!

MARTA: Rocío, te (2) _____ a Roberto.

ROBERTO: (3) _____.

ROCÍO: (4) _____. Saben, hay una (5) _____

en la escuela. ¿(6) _____ no vamos?

MARTA: ¿(7) _____ es?

ROCÍO: Es (8) _____ a las siete de la noche.

ROBERTO: Yo (9) _____ ir.

MARTA: ¡(10) _____!

52 Unidad 3, Lección A   *¡Qué chévere! 1 Workbook*   © Carnegie Learning, Inc.

Gramática A1

3 En la fiesta

At a party, how would you introduce the guests? Complete the following introductions logically with the words *te*, *le* or *les*.

MODELO: Eugenio, <u>te</u> presento a mi amiga Anabel.

1. Sr. y Sra. Ortega, _____ presento a la profesora de arte.

2. Arturo, _____ presento a Sergio, el amigo de Alma.

3. Profesora Prieto, _____ presento a Vero y Carla.

4. Blanca y Ángela, _____ presento a Hugo y Raúl.

5. Miguel, _____ presento al señor Gómez, mi profesor de español.

6. Don Rodrigo, _____ presento a mi amiga Lupe.

7. Vero y Carla, _____ presento a doña Violeta.

8. Señor Gómez, _____ presento a Sergio y Alma.

9. Gabi, _____ presento al amigo de doña Violeta.

10. Hugo y Raúl, _____ presento a don Rodrigo.

4 Más presentaciones

Combine elements from each column to write five introductions. Be sure to use contractions when necessary.

MODELO: <u>Clara, te presento al señor Portillo.</u>

Clara		mis amigos Diego y Tomás
Srta. Guzmán		el profesor de computación
Enrique	te presento a	el señor Portillo
don Humberto	le presento a	doña Esperanza
Sr. y Sra. Ramírez	les presento a	el estudiante de Honduras
Daniel y Nicolás		el amigo de Fernando

1. _____

2. _____

3. _____

4. _____

5. _____

5 Mucho gusto

In the following drawing, Silvia is introducing José to the math teacher, Sr. Torres.
Complete the speech bubbles with appropriate expressions.

6 Preguntas

Complete the following questions with the appropriate question words.

1. ¿_____te llamas?

2. ¿_____es tu dirección de correo electrónico?

3. ¿_____quiere decir la palabra *escuela*?

4. ¿_____van al restaurante? ¿Mañana?

5. ¿_____es la fiesta de Yolanda? ¿En un restaurante?

6. ¿_____están mis libros de inglés?

7. ¿_____no vamos al cine mañana?

8. ¿_____escritorios hay en la oficina?

7 **Más preguntas**

Unscramble the words and write complete, logical questions.

> **MODELO:** ¿? / en / el parque / Sofía / camina
> ¿Camina Sofía en el parque?

1. ¿? / el amigo / simpático / de / verdad / Beatriz / es

_____

2. ¿? / Andrés / Jaime / van / a / y / la fiesta

_____

3. ¿? / sabe / la fiesta / Julia / cuándo / es

_____

4. ¿? / es / mañana / no / la fiesta

_____

5. ¿? / Uds. / la biblioteca / van / a

_____

6. ¿? / las dos / la clase / termina / a

_____

7. ¿? / español / a / vas / la / de / clase

_____

8. ¿? / música / quién / es / de / profesor / tu

_____

9. ¿? / hora / matemáticas / a / clase / de / la / qué / es / clase

_____

10. ¿? / el / Uds. / toman / verdad / autobús

_____

8 **Viaje a Machu Picchu**

A travel agency called Atalaya Turismo is planning a trip *(un viaje)* to the ruins of Machu Picchu in Peru. Look at the advertisement and write questions about the trip. Use the answers provided to help you write logical questions for each answer.

1. _____

   El viaje *(trip)* es el 29 de noviembre.

2. _____

   El viaje es de siete días.

3. _____

   El hotel se llama Machu Picchu Inn.

4. _____

   Van en tren panorámico.

5. _____

   No, no van a Arequipa.

6. _____

   El número de teléfono de Atalaya Turismo es el 4312-5784.

Cultura

9 De visita en la Ciudad de México

What things and places could you see or visit in Mexico City? Match the name of the place in Spanish on the left with the appropriate description in English on the right. Write the correct letter in the space provided.

1. _____ el Zócalo

2. _____ la Plaza de la Constitución

3. _____ el Palacio Nacional

4. _____ la Catedral Metropolitana

5. _____ Chapultepec

6. _____ el parque de diversiones

A. the seat of government of Mexico

B. an amusement park

C. Mexico City's main square

D. an ancient cathedral

E. the official name for *el Zócalo*

F. a very large park

10 ¿Adónde vamos?

Using the word bank, complete a conversation among three teens.

autobús	*claro*	por qué	*caminamos*	*vamos*	el gusto es mío
encantado	*adónde*	*voy*	también	*te presento*	

REBECA: ¡Hola, Corina! (1)_____ a mi amigo Manuel.

MANUEL: ¡Hola, Corina! (2)_____.

CORINA: ¡(3) _____!

REBECA: ¿(4) _____ vas, Corina?

CORINA: (5) _____ al zoológico en el Parque de Chapultepec.

MANUEL: ¡Nosotros (6) _____!

REBECA: ¿(7) _____ o vamos en autobús?

CORINA: ¡Vamos en (8) _____!

MANUEL: ¿(9)_____ no (10) _____ después al Museo Nacional de Antropología y al parque de diversiones?

REBECA: ¡(11) _____!

Nombre: _____ Fecha: _____

Vocabulario A2

11 **Sopa de letras**

In the word-square find ten modes of transportation in Spanish. The words may read vertically, horizontally or diagonally.

```
W  E  C  A  M  I  Ó  N  E  R  T  Ó
T  Á  L  A  U  M  V  T  U  Z  L  S
B  P  B  A  R  C  O  Y  R  I  X  L
N  Z  I  Y  F  R  M  A  Ó  E  B  M
T  T  C  A  U  T  O  B  Ú  S  N  U
Í  D  I  F  V  U  T  D  O  O  P  L
V  S  C  Y  B  I  O  A  M  M  O  J
Q  Ú  L  Á  N  N  Ó  W  X  A  K  L
U  C  E  T  G  H  E  N  E  I  O  N
M  E  T  R  O  R  M  W  Y  U  I  D
R  S  A  N  S  P  Ó  R  T  A  B  É
```

12 **¿Cómo vamos?**

How would you travel from one place to another? Write a mode of transportation that would make sense. In most cases, there is more than one possible answer. Use a variety.

MODELO: ¿De Ciudad de México a Jalisco? <u>en autobús</u>

1. ¿De Chicago a Ciudad de México? _____

2. ¿De Cancún a Cozumel? _____

3. ¿De Ciudad de México a Puebla? _____

4. ¿Del Zócalo a Chapultepec? _____

5. ¿De la escuela al cine? _____

6. ¿Del hotel a un restaurante cerca? _____

7. ¿Del colegio a la biblioteca? _____

Gramática A₂

13 Un mensaje electrónico

Complete the following e-mail with the correct forms of the verb *ir*.

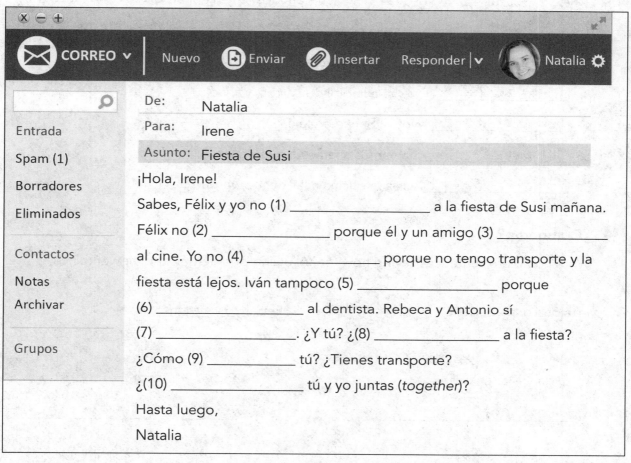

CORREO ∨ | Nuevo | Enviar | Insertar | Responder |∨ | Natalia ⚙

Entrada
Spam (1)
Borradores
Eliminados

Contactos
Notas
Archivar

Grupos

De: Natalia

Para: Irene

Asunto: Fiesta de Susi

¡Hola, Irene!

Sabes, Félix y yo no (1) _____ a la fiesta de Susi mañana.

Félix no (2) _____ porque él y un amigo (3) _____

al cine. Yo no (4) _____ porque no tengo transporte y la

fiesta está lejos. Iván tampoco (5) _____ porque

(6) _____ al dentista. Rebeca y Antonio sí

(7) _____. ¿Y tú? ¿(8) _____ a la fiesta?

¿Cómo (9) _____ tú? ¿Tienes transporte?

¿(10) _____ tú y yo juntas (*together*)?

Hasta luego,

Natalia

Choose the correct option based on the information in the e-mail.

11. How many of Irene's friends are not going to the party?

    A. Two friends are not going.   B. Three friends are not going.

12. Is Natalia going to the party with Irene?

    A. She will go if Irene has transportation.   B. She will go if Irene doesn't go to a movie.

13. Why aren't Félix and his friend going to the party?

    A. Because they cannot go together.   B. Because they are going to the movies.

14. Why isn't Iván going to the party?

    A. Because he is going to the dentist.   B. Because the party is too far.

Nombre: _____ Fecha: _____

14 **¿Quiénes van?**

Complete the sentences with the appropriate subjects from the list.

yo   tú   vosotras   mis amigos   Leonardo   nosotros

1. _____ van a la escuela a pie.

2. _____ vais al cine, ¿verdad?

3. _____ no va a la biblioteca con Manuel.

4. _____ voy al banco en taxi.

5. _____ no vamos a la fiesta de Raquel.

6. _____ vas a la oficina a las ocho, ¿verdad?

15 **¿Cómo van?**

Write complete sentences saying how the following people get to their workplaces.

MODELO: Federico Federico va en metro.

1. Olga y Maira

_____

_____

4. Rubén

_____

_____

2. el Sr. Barrientos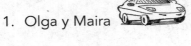

_____

_____

5. tú

_____

_____

3. yo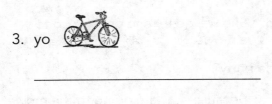

_____

_____

6. Graciela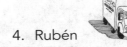

_____

_____

16 **¿Adónde y a qué hora van?**

Combine elements from each column to write six complete sentences about where people are going and at what time. Add any necessary words and make changes as needed.

MODELO: Eduardo va a la médica a las dos de la tarde.

Eduardo	escuela	8:15 AM
mis amigos	cine	10:00 AM
tú	banco	12:00 PM
el estudiante nuevo	fiesta	2:00 PM
don Ignacio	parque	4:30 PM
Alicia y Gloria	médica	6:45 PM
Juan y yo	biblioteca	7:30 PM
la profesora	restaurante	8:45 PM

1. _____

_____

2. _____

_____

3. _____

_____

4. _____

_____

5. _____

_____

6. _____

_____

Repaso

17 **Playa del Carmen**

Some of your friends are thinking of going to Playa del Carmen, a popular beach in Mexico. They would like more information about the place: how to get there, is it close to Cancún, a name of a fantastic hotel, what is in Xcaret, etc. Prepare a list of six to eight questions in Spanish to ask a local Mexican travel agency. If you would like, search the Internet for the answers to your questions.

_____

_____

_____

_____

_____

_____

_____

_____

_____

18 ¿En qué van?

Use the cues to write three sentences. Tell (A) where the people are going, (B) how they are traveling, and (C) why they are using that mode of transportation. Use a different mode of transportation for each situation.

MODELO: Marcos y Pablo / escuela
A. <u>Marcos y Pablo van a la escuela.</u>
B. <u>Ellos van a la escuela en autobús.</u>
C. <u>Van a la escuela en autobús porque está lejos.</u>

1. Celeste y tú / Museo de Antropología

   A. _____

   B. _____

   C. _____

2. tú y yo / fiesta de María Isabel

   A. _____

   B. _____

   C. _____

3. yo / oficina de mi mamá

   A. _____

   B. _____

   C. _____

4. Manuel / biblioteca

   A. _____

   B. _____

   C. _____

5. Pedro y Sonia / cine y restaurante

   A. _____

   B. _____

   C. _____
   _____

6. la familia / Ciudad de México

   A. _____

   B. _____

   C. _____

19 **Escribir oraciones**

Write the sentences or questions according to each prompt.

1. Introduce Karla and Beatriz to Sra. García and vice versa.

   _____

   _____

2. Introduce your friend Tom to your friend Laura.

   _____

3. Politely ask someone on the street where the Zócalo is.

   _____

4. Say what type of transportation you use to go to school.

   _____

5. Ask your friends how they go to the library.

   _____

6. Invite a friend to go with you to a park you know.

   _____

7. Ask your friend Mariana why she is not going to Ana's party.

   _____

8. Ask if the library is far from the school.

   _____

9. Say you don't have transporation to get to the party.

   _____

10. Ask Julián if he is going to the restaurant on foot.

   _____

👑
20 **¿Vamos?**

You are planning a trip to Mexico City. Write a question for each sentence.

1. _____

   Nosotros vamos a Ciudad de México.

2. _____

   Voy con Pablo y Ana, mis amigos del colegio.

3. _____

   Sí, vamos a un hotel en el centro, cerca del Parque de Chapultepec.

4. _____

   Vamos el viernes en avión.

5. _____

   Sí, quiero ir con Uds.

👑
21 **En Ciudad de México**

Check your knowledge about Mexico City. Answer with complete sentences starting with *sí* or *no*. If the answer is no, clarify with a complete sentence.

MODELO: Chapultepec es un restaurante, ¿verdad?
          No, Chapultepec es un parque en la Ciudad de México.

1. El Zócalo es una plaza importante de Ciudad de México, ¿verdad?

   _____

2. Los grandes murales de Diego Rivera están en la Catedral Metropolitana, ¿no?

   _____

3. Chapultepec quiere decir "pulmón de la ciudad" en náhuatl, ¿no?

   _____

4. El Museo Nacional de Antropología está en el Parque de Chapultepec, ¿no?

   _____

5. Los Niños Héroes son unos niños en el parque de diversiones, ¿verdad?

   _____

Lección B

Vocabulario B1

1 **Crucigrama**

Complete the following crossword puzzle with words related to downtown.

Horizontales

5. La oficina está en un _____ grande.

6. Hay muchos edificios en el _____.

7. El concierto de rock va a ser en

   la _____.

8. Una _____ es una calle grande.

Verticales

1. Vamos al _____ de arte.

2. El actor está en el _____.

3. La _____ de México es grande.

4. Voy a la _____ porque necesito

   ropa nueva.

6. Los carros van por la _____.

2 En el Distrito Federal

Imagine you took the following photographs during a trip to Mexico City. Identify what is shown in each photograph.

MODELO:

Es un museo.

1.

_____

_____

4.

_____

_____

2.

_____

_____

5.

_____

_____

3.

_____

_____

6.

_____

_____

Gramática B1

3 **¿Adónde van a ir?**

Look at the map of the center of Mexico City. Write complete sentences, telling where each person is going to go.

MODELO: Yo voy a ir al Zócalo.

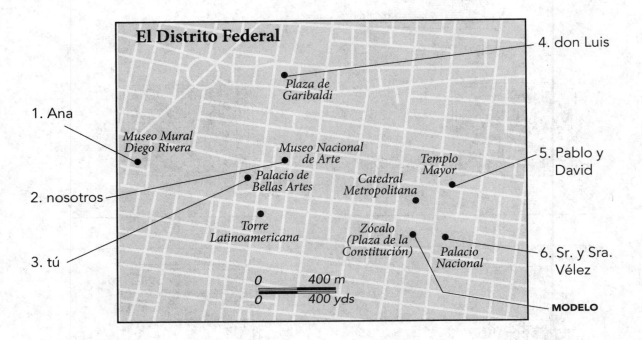

1. _____

2. _____

3. _____

4. _____

5. _____

6. _____

Nombre: _____   Fecha: _____

4 ¿Qué van a hacer?

Look at the illustrations and write complete sentences, telling what the people are going to do. Use the construction *ir + a* and the verbs from the list.

estudiar   tomar   necesitar   hablar   ir   caminar

MODELO: Ángela
Ángela va a ir al museo.

1. Rafael

_____

_____

2. los señores

_____

_____

3. Diana

_____

_____

4. nosotros

_____

_____

5. Gustavo

_____

_____

6. yo

_____

_____

Cultura

5 Las tres culturas

Sort the following landmarks and cuisine styles as belonging to a specific historic period of Mexico: pre-Hispanic, colonial, modern. Write them in the table.

Edificios y monumentos
iglesia de Santiago de Tlatelolco
monumento dedicado a los estudiantes
ruinas de templos y pirámides aztecas

Cocina
variada y con influencia global
con insectos como fuente de proteína
con influencia de sabores españoles

Período prehispánico	Período colonial	Tiempos modernos

Now write six sentences about the landmarks and/or cuisine styles of Mexico in different historic periods. Use the model as a guide.

MODELO: La iglesia de Santiago de Tlatelolco es del período colonial.

1. _____

2. _____

3. _____

4. _____

5. _____

6. _____

¡Qué chévere! 1 Workbook

Vocabulario B2

6 En el restaurante

Complete the following conversation in a restaurant with the appropriate words from the box.

agua	**para**	*menú*	**ensalada**	comer	momento
tomar	*cómo*	**acuerdo**	*jugo*	**veo**	**siempre**

MESERO: Buenas tardes, señoritas. ¿Qué van a (1) _____?

JULIA: Hoy voy a tomar un (2) _____ de naranja.

CARMEN: Yo quiero un (3) _____ mineral.

MESERO: ¡(4) _____ no! ¿Y (5) _____

comer?

JULIA: Pues, quiero pescado pero no (6) _____ pescado en el

(7) _____… ¡Aquí está! Yo quiero pescado con una

(8) _____.

MESERO: ¿Y Ud., señorita?

CARMEN: (9) _____ como pollo, pero hoy voy a

(10) _____ pescado.

MESERO: De (11) _____. Un

(12) _____, por favor.

Answer the following questions based on the conversation above.

13. What do they order first, their drinks or their meal? _____

14. What is Carmen going to drink? _____

15. Who is going to have fish? _____

16. What does Carmen eat all the time? _____

Nombre: _____ Fecha: _____

7 Completa el menú

Imagine you work at Restaurante Los Amigos. Complete the menu by writing the items under the appropriate headings.

naranja   refresco   ensalada de tomate   pollo   frijoles

Restaurante Los Amigos

ENSALADAS

(1)_____ $3.50
Ensalada mixta $4.50

PLATOS TÍPICOS
Quesadillas... $5.00
Tacos mixtos... $6.25

(2)_____ en mole................... $7.50
Enchiladas verdes... $6.75

PLATOS VEGETARIANOS

(3)_____ negros...................... $4.50
Burritos vegeterianos.. $5.50

BEBIDAS

Jugo de (4)_____ $1.25

(5)_____ $1.25
Agua mineral $1.25

Gramática B2

8 ¿Quién comprende?

Tell who understands by completing each sentence with the present tense of *comprender*.

1. Nuria y yo _____

2. Los estudiantes _____

3. La profesora Díaz _____

4. Tú _____

5. Yo _____

6. Juan y tú _____

9 **¿Qué comen?**

Write a sentence telling what each person eats.

MODELO: Paco

Paco come pizza.

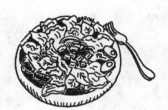

1. yo

_____

_____

2. Uds.

_____

_____

3. Alicia

_____

_____

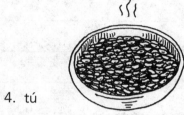

4. tú

_____

_____

5. nosotros

_____

_____

10 ¿Qué hacen?

What is everyone doing downtown? Complete the sentences with the present tense of the verbs in parentheses.

1. Carlos y Elvira _____ en el Restaurante Delicias. (comer)

2. Yo _____ el arte de Frida Kahlo en un museo. (ver)

3. Humberto _____ el periódico en la Plaza San Juan. (leer)

4. El médico le _____ una pregunta al señor Durán. (hacer)

5. Tú no _____ dónde está la Plaza de la Constitución. (saber)

6. Nosotros _____ muchos museos y teatros. (ver)

7. Cristina y José _____ en el metro. (leer)

8. Yo _____ una gira (*tour*) por el centro. (hacer)

11 Una carta de Armando

Complete Armando's letter with the correct forms of the verbs *saber*, *comer*, *ver*, *ir*, *comprender* and *hacer*.

¡Hola, Graciela!

¿(1) _____ tú que Juan y yo estamos en el

Distrito Federal? ¡Es una ciudad fantástica! Al mediodía,

nosotros siempre (2) _____ mole poblano y,

por las tardes (3) _____ mucho arte en los

museos. Mañana, yo (4) _____ a ver a

Óscar. Él (5) _____ y habla inglés. ¿Y tú?

¿Cómo estás? ¿Qué (6) _____ en San

Antonio? ¿(7) _____ tacos? Yo

(8) _____ muchas preguntas, ¿verdad?

Bueno, hasta pronto.

Tu amigo,
Armando

12 **¿Verdad?**

Combine elements from each column to write six complete, logical questions with the tag word *verdad*.

MODELO: Conchita va al colegio, ¿verdad?

Conchita	hacer	una revista
mis amigos	comer	muchas preguntas
yo	ver	inglés y español
tú y Mario	saber	pescado
nosotros	comprender	al colegio
Francisca	leer	el edificio grande
vosotros	ir	mi número de teléfono

1. _____

_____

2. _____

_____

3. _____

_____

4. _____

_____

5. _____

_____

6. _____

_____

Nombre: _____ Fecha: _____

13 Expresiones comunes

Complete each mini-dialog with the appropriate words from the box. Conjugate the verbs when necessary.

agua saber **de acuerdo** **ensalada** momento **bebidas**
ver *quieres* **leer** comer siempre mineral
tomar *cómo no* **ir** ahora *favorita* **estudiar** *libro*

SOFÍA: (1)_____ vamos al teatro. ¿Por qué no

             (2)_____ al museo hoy?

FERNANDO: (3)_____.

TÚ: ¿Tú (4)_____ quién es la artista Frida Kahlo?

UNA AMIGA: Claro, ¡(5)_____!

MAMÁ: ¿Cuándo vas a (6)_____ para el examen, Manuel?

MANUEL: En un (7)_____, Mamá.

MAMÁ: ¡No, (8)_____!

JULIA: ¿Qué comida mexicana (9)_____ tú, Antonio?

ANTONIO: Yo como pollo en mole. ¡Es mi comida (10)_____!

JOSÉ: Andrea, ¿(11)_____ comer pescado ahora?

ANDREA: Sí, yo quiero pescado y una (12)_____.

MARÍA: David, ¿(13)_____ refrescos?

DAVID: No, María. Yo tomo (14) _____.

ROBERTO: ¿Qué libro (15)_____, Olga?

OLGA: Leo un (16)_____ sobre arte, Roberto.

CAROLINA: ¿Qué (17) _____ ves en el menú, Alberto?

ALBERTO: (18)_____ agua (19) _____ y jugo
            de naranja.

Nombre: _____ Fecha: _____

14 Felipe y Laura en Ciudad de México

Read Felipe and Laura's e-mail to their parents sent from Mexico City. Then answer each question in English based on their message. Answer as completely as possible.

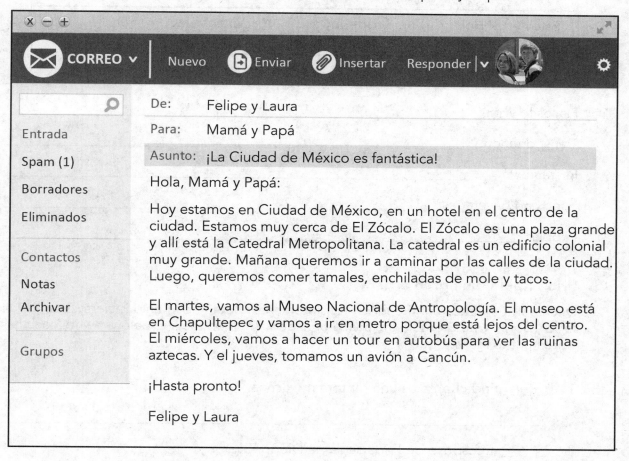

De: Felipe y Laura

Para: Mamá y Papá

Asunto: ¡La Ciudad de México es fantástica!

Hola, Mamá y Papá:

Hoy estamos en Ciudad de México, en un hotel en el centro de la ciudad. Estamos muy cerca de El Zócalo. El Zócalo es una plaza grande y allí está la Catedral Metropolitana. La catedral es un edificio colonial muy grande. Mañana queremos ir a caminar por las calles de la ciudad. Luego, queremos comer tamales, enchiladas de mole y tacos.

El martes, vamos al Museo Nacional de Antropología. El museo está en Chapultepec y vamos a ir en metro porque está lejos del centro. El miércoles, vamos a hacer un tour en autobús para ver las ruinas aztecas. Y el jueves, tomamos un avión a Cancún.

¡Hasta pronto!

Felipe y Laura

---

1. Where are Felipe and Laura?

_____

2. What tourist sites are near the hotel?

_____

3. What are Laura and Felipe going to do tomorrow?

_____

4. What are their plans for Tuesday and Wednesday?

_____

_____

5. What are they doing on Thursday?

_____

👑 15 Un tour en...

Imagine you are going to visit Mexico City for a few days. Create a plan for your visit that includes the information below. Use the prompts in the box to begin your sentences.

Estoy en el Hotel...	Hoy voy a...	Vamos en...	Quiero ir a...
Quiero comer/tomar...	Voy a ver a...	Leemos...	

Hotel where you are staying: _____

Places to visit: _____

Transportation: _____

Restaurants: _____

Food and beverages: _____

People: _____

👑 16 Frida Kahlo, una gran artista

Decide whether each of the following statements about Frida Kahlo is *cierto* (true) or *falso* (false). Write **C** or **F** in the space provided. Then on the line below rewrite each false statement to make it true.

1. _____ Frida Kahlo es una pintora mexicana.

_____

2. _____ El esposo de Frida se llama Diego Rivera.

_____

3. _____ Frida vive en una casa roja en la zona de Coyoacán.

_____

4. _____ Las pinturas de Frida representan temas universales: la industrialización y la naturaleza.

_____

5. _____ Frida tuvo (*had*) un accidente de tráfico a los dieciséis años.

_____

6. _____ Frida representa la historia de México en sus autorretratos.

_____

Unidad 4

Lección A

Vocabulario A1

1 **La familia Muñoz**

Complete the following sentences about the Muñoz family, using the family tree as a reference.

1. Marisol es la _____ única de Carlos y Lucía.

2. Los _____ de Marisol son José Alberto y Josefina.

3. José Alberto y Josefina tienen dos _____ y cuatro

_____.

4. Laura, la _____ de Carlos, es la _____ de Marisol.

5. Pablo, Sofía y Rubén son los _____ de Carlos y los

_____ de Marisol.

6. La _____ de Carlos es Lucía. Ella es la

_____ de Marisol.

2 **Crucigrama**

Complete the following crossword puzzle with words you learned in the lesson.

Horizontales

3. El _____ de mi primo es mi tío.

5. El padre de mi padre es mi _____.

6. La familia vive en una _____.

7. El hermano de mi madre es mi _____.

9. El hijo de mi hermana es mi _____.

10. Estamos en Puerto Rico pero _____
    en Nueva York.

Verticales

1. El hijo de mis padres es mi _____.

2. Abuelos, tíos, primos son _____.

3. El sobrino de mi madre es mi _____.

4. Mi abuelo es el _____ de mi abuela.

8. Él es hijo _____ porque no tiene
   hermanos.

¡Qué chévere! 1 Workbook

Repaso rápido

3 **Mis primos de Ponce**

Rewrite the following sentences, replacing the underlined words with the words in parentheses. Make any necessary changes to the form of the verbs and the adjectives.

> MODELO: Mi tía es muy simpática. (mis abuelos)
> Mis abuelos son muy simpáticos.

1. Mi tío favorito es de Ponce, Puerto Rico. (mis primos)

   _____

2. El museo de arte de Ponce es fantástico. (las playas)

   _____

3. Hay un restaurante nuevo muy bueno. (una tienda)

   _____

4. Todos los amigos de mi primo Raúl son divertidos. (las hermanas)

   _____

5. Mi prima es guapa y popular. (mis primos)

   _____

6. La casa de mis tíos es grande y bonita. (el carro)

   _____

7. Mi padre es muy cariñoso. (mi madre)

   _____

8. Carla es la profesora favorita de mi hermana. (Ricardo)

   _____

9. Mis amigos Carlos y Alberto son muy divertidos. (mi amiga Luisa)

   _____

10. La casa nueva de mi mamá es grande y bonita. (el carro)

   _____

Gramática A1

4 Fotos de la familia

Your cousin found an old family album and is wondering who is who in the photographs. Answer her questions in the affirmative, using appropriate possessive adjectives.

MODELO: ¿Es ella mi tía?
            <u>Sí, es tu tía.</u>

1. ¿Es ella la abuela de nosotros?

   _____

2. ¿Son los hermanos de Ernesto?

   _____

3. ¿Es el señor el padre de Carolina?

   _____

4. ¿Son mis primos?

   _____

5. ¿Es la señora guapa tu madre?

   _____

6. ¿Es él mi sobrino?

   _____

7. ¿Es el muchacho el primo de nosotros?

   _____

8. ¿Es ella la esposa del tío Manolo?

   _____

9. ¿Son ellos tus hermanos?

   _____

10. ¿Los señores son los padres de tu madre?

   _____

5 **Las fotos de José**

Help José write labels for the photographs he is putting up on his social media site. Complete each phrase with the appropriate possessive adjective.

MODELO: Pedro y su hermana

1. Carmen y _____ amigas   5. _____ profesor y nosotros

2. _____ abuelo y yo   6. el Sr. y la Sra. Ramos y _____ sobrina

3. don Tomás y _____ hijos   7. _____ primos y yo

4. mi amigo y _____ parientes   8. doña Julia y _____ esposo

6 **Mi familia vive en Puerto Rico**

Complete the following sentences with the present tense of the verb *vivir*.

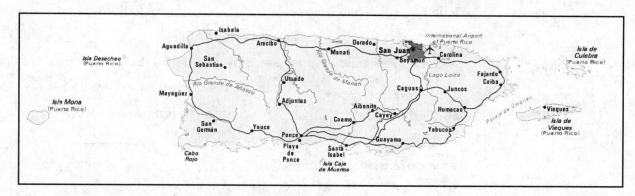

1. Nosotros _____ en Puerto Rico.

2. Mis abuelos _____ en Arecibo.

3. Mi hermano Hernán _____ en Mayagüez.

4. Yo _____ en San Juan con mis padres.

5. Mi prima Paulina _____ en Ponce.

6. Mis tíos _____ en Fajardo.

7. ¿Y tú? ¿Dónde _____?

7 ¡Voy a Puerto Rico!

Enrique is writing an e-mail to a friend. Complete his message with the present tense of the verbs *vivir*, *ir* and *salir*.

---

x − +

✉ **CORREO** ∨   Nuevo   ⬅ Enviar   📎 Insertar   Responder | ∨   👤 Enrique ⚙

🔍	De: Enrique
Entrada	Para: Jorge
Spam (1)	Asunto: ¡Hola!
Borradores	
Eliminados	

¡Hola!

Estoy en la clase de computación. (1) _____ a las dos de la tarde. ¿A qué hora (2) _____ tú? ¿Por qué no (3) _____ a visitar a Carmen? Ella (4) _____ cerca de la escuela en una casa muy grande. ¿Sabes? Mañana yo (5) _____ a ir con mi madre a Puerto Rico. Mi tía Sara también (6) _____ con nosotros. En Puerto Rico, (7) _____ mis abuelos. Ellos (8) _____ muy cerca de la playa. Nosotros (9) _____ en avión porque (10) _____ en Nueva York y Puerto Rico está lejos. Nosotros (11) _____ del Aeropuerto Internacional J.F. Kennedy. El avión (12) _____ a las diez de la mañana. Mi hermano no (13) _____ porque él estudia en España. Él (14) _____ en Barcelona con un primo de mi padre. Ellos siempre están en casa; no (15) _____ de Barcelona. ¿Y tú, Jorge? ¿(16) _____ a ir a otra ciudad en el verano? Mis primos, Juanita y José, (17) _____ en México. Está cerca. ¡(18) _____ el otro verano!

Enrique

Cultura

8 Los idiomas de Puerto Rico

Read the following statements about Puerto Rico and decide whether they are *cierto* (true) or *falso* (false). Write **C** or **F** in the space provided.

1. _____ Puerto Ricans wish to preserve their roots, but they also focus on their future.

2. _____ There are two official languages in Puerto Rico.

3. _____ The language of the Taíno natives of Puerto Rico disappeared completely.

4. _____ *Huracán* is an African word.

5. _____ Spanish was the only language in Puerto Rico until 1950.

6. _____ The Spanish language was dominant for several centuries, but now English is the most widely spoken language.

7. _____ The African word *mondongo* means "tripe soup."

8. _____ All business in Puerto Rico is conducted in English.

9. _____ Puerto Ricans prefer to speak English and Spanish equally.

10. _____ If a Puerto Rican invites you to *lonchar*, he or she is inviting you to have lunch.

9 Puerto Rico

How well do you know Puerto Rico? Match the items on the left with the appropriate description in English on the right.

1. _____ el Yunque   A. Puerto Rico's nickname

2. _____ la casa   B. Puerto Rico's capital

3. _____ la isla del encanto   C. a disastrous hurricane

4. _____ Daddy Yankee   D. a fort built in 1591 to protect the island

5. _____ María   E. the hub of social activity

6. _____ San Juan   F. a famous Puerto Rican artist

7. _____ Castillo San Felipe del Morro   G. a tropical rain forest

Vocabulario A2

10 ¿Cómo está?

Match the situation in English on the left with the appropriate expression in Spanish on the right. Write the letter of your choice in the space provided.

1. _____ Your brother is going to his first job interview.   A. Está triste.

2. _____ Sergio's dog just died.   B. Está contento.

3. _____ Víctor is wearing a bathing suit to snowboard.   C. Está nervioso.

4. _____ Miguel got an A+ on his exam.   D. Está cansado.

5. _____ Your uncle worked two night shifts.   E. Está enfermo.

6. _____ Your grandfather has the flu.   F. Está loco.

11 No es verdad

Rewrite each of the following sentences, replacing the underlined word with its opposite.

MODELO: Hilda está mal.
Hilda está bien.

1. Nuestra casa está limpia.

   _____

2. El museo está cerrado hoy.

   _____

3. Humberto está muy contento.

   _____

4. Juanita está enferma.

   _____

5. El jugo de naranja está frío.

   _____

6. La mesa cerca de la ventana está ocupada.

   _____

Gramática A2

12 **¿Cómo están?**

Complete the following descriptions with the correct form of *estar* and an appropriate adjective.

MODELO:

El pollo <u>está caliente</u>.

1. El parque _____

_____.

2. Los chicos _____

_____.

3. La chica _____

_____.

4. Tú _____

_____.

5. Las ventanas _____

_____.

6. El estudiante _____

_____.

7. Mis tíos _____

_____.

8. Nosotros _____

_____.

Repaso

13 En la red social

Imagine you are on social media talking about your family, real or imaginary. Write six to eight sentences describing your family. Include their names and relationships, where they live, and how they are.

_____

_____

_____

_____

_____

_____

_____

_____

_____

_____

_____

👑 14 **¿Quiénes son los parientes?**

Who are they? Complete each sentence with the correct possessive adjective and relative.

MODELO: <u>Tus hermanas</u> son muy populares. (las hijas de tu padre y tu madre)

1. _____ es muy amable con nosotros. (la madre de tus primos)

2. _____ está apurado y sale de la casa. (el padre de mi padre)

3. _____ están muy ocupados. (los hijos de su hermano)

4. _____ salen temprano de la escuela. (los hijos de nuestra hija)

5. _____ está cansado, pero contento. (el hijo del tío de Ud.)

👑 15 **Las familias**

You are discussing family activities with your friends. Rewrite the following sentences replacing the underlined words with the correct possessive adjective and family members. Conjugate the verbs correctly.

MODELO: <u>La hija y el hijo de Carlos</u> (estudiar) en San Juan.
       <u>Sus hijos estudian</u> en San Juan.

1. <u>La madre y el padre de Roberto</u> (caminar) por la ciudad.

   _____

2. <u>Mi abuela y mi abuelo</u> (vivir) en la República Dominicana.

   _____

3. Hoy, <u>tu sobrino y tus sobrinas</u> (estar) en el Parque Nacional El Yunque.

   _____

4. <u>Nuestra prima y nuestro primo</u> (estar) muy contentos.

   _____

5. Óscar (salir) mucho con <u>su tía y su tío</u> porque (ser) muy divertidos.

   _____

16 ¿Cómo está todo?

A distant relative is inquiring about everyone at a family reunion. Complete each question with the correct form of the verbs *vivir*, *salir* and *estar*. Then, answer each question with a complete sentence.

1. ¿Con quién _____ Uds. y en dónde?

_____.

2. ¿Por qué _____ tú triste?

_____.

3. ¿Dónde _____ tus primos Luis y Carmelo?

_____.

4. ¿Tu abuela _____ en casa con Uds.?

_____.

5. ¿ _____ tú ahora para la casa?

_____.

17 Una familia, muchos parientes

Read the information about Ricardo's family. Then, answer the questions in complete sentences.

> Me llamo Ricardo y mi familia es de Puerto Rico. Yo vivo en Nueva York con mi esposa, Ana. Nuestros hijos son Javier y Carolina. Mis padres, María y Carlos, viven en San Juan. Están lejos de nosotros, pero son muy cariñosos con todos sus nietos. Mi hermana, Juanita, vive en Nueva Jersey con su esposo, Alfonso, y su hija, Alejandra. Siempre están muy ocupados, pero salimos con ellos muchos domingos. ¡Qué divertido es! ¡Yo estoy contento porque tengo una familia fantástica!

1. ¿Dónde están los abuelos de Javier y Carolina?

_____.

2. ¿Quién es la sobrina de Ricardo y Ana?

_____.

3. ¿Dónde viven los tíos de Javier y Carolina?

_____.

4. ¿Quién es la prima de Alejandra?

_____.

5. ¿Cuándo sale la familia de Ricardo con la familia de Juanita?

_____.

Lección B

Vocabulario B1

1 **Mis nuevos amigos**

Imagine you are an exchange student in the Dominican Republic and you write a letter to your parents at home. Complete the letter with the words from the list.

hacer	bailar	escuchar	jugar	gusta
patinar	nadar	tocar	partido	ver

Hola, mamá y papá:

¿Cómo están? Yo estoy bien. Me (1)_____ mucho

estudiar en la República Dominicana. Es un país fantástico.

Tengo dos nuevos amigos. Se llaman Rafael y Érica. Son muy simpáticos. A Rafael le

gusta (2)_____ al béisbol y

(3)_____ el piano. A Érica le gusta

(4)_____ sobre ruedas y

(5)_____ salsa y merengue. A los dos les gusta

(6)_____ la radio pero no les gusta

(7)_____ la televisión. Mañana nosotros vamos a

(8)_____ en la playa. Y en la tarde, vamos a ir

a un (9)_____ de béisbol. ¡Qué divertido!

Bueno, hasta luego. Voy a (10)_____ la tarea.

　　　Los quiero,

　　　Ricardo

2 ¿Qué te gusta hacer?

Look at each illustration and say whether or not you like doing the activity pictured.

MODELO:

<u>Me gusta tocar el piano. / No me gusta tocar el piano.</u>

1.

_____

_____

5.

_____

_____

2.

_____

_____

6.

_____

_____

3.

_____

_____

7.

_____

_____

4.

_____

_____

8.

_____

_____

Gramática B1

3 **Nos gusta mucho**

You and your friends are listing all the things and activities you like about the Dominican Republic. Complete each sentence with either *nos gusta* or *nos gustan*.

1. _____ las playas bonitas.

2. _____ los partidos de béisbol.

3. _____ el merengue.

4. _____ los edificios en Santo Domingo.

5. _____ ir de compras.

6. _____ el Museo de Arte Moderno.

7. _____ los parques ecológicos.

8. _____ nadar en Boca Chica.

4 **¿Te gusta...?**

Imagine that different people are asking you the following questions. Answer the questions in a complete sentence using the verb *gustar*.

MODELO: ¿Les gustan las fotos?
Sí, <u>nos gustan las fotos.</u>

1. ¿Les gusta ir de compras los sábados?

Sí, _____.

2. Te gustan los libros, ¿no?

Sí, _____.

3. ¿Les gusta hacer la tarea juntos?

Sí, _____.

4. ¿Te gusta mi falda?

Sí, _____.

5. ¿Les gustan sus profesores?

Sí, _____.

5 ¿Qué les gusta?

Write complete sentences, saying what the following people like.

MODELO: Selena / contestar en clase
A Selena le gusta contestar en clase.

1. Juan Pablo / jugar al béisbol

   _____

2. tus amigos / ver televisión

   _____

3. nosotros / las ensaladas

   _____

4. tú / los conciertos de rock

   _____

5. la abuela / leer revistas

   _____

6. profesor Bolaños / hacer preguntas

   _____

7. yo / los chicos inteligentes

   _____

8. mis hermanos / ir en tren

   _____

9. mis tíos / caminar por el Yunque

   _____

10. mi primo Ernesto / la comida de Puerto Rico

   _____

11. nosotros / las playas de Puerto Rico

   _____

12. tú / bailar merengue y bachata

   _____

6 **Conexión dominicana**

Read the following profiles of teenagers in the Dominican Republic who are looking for pen pals. Then answer the questions.

Nombre: María Luz Guerra
Dirección: mlguerra@cable.com
Edad: 15 años
Pasatiempos: bailar, ir al cine, jugar al béisbol

Nombre: Rodrigo Vargas
Dirección: vargas2@inter.net
Edad: 16 años
Pasatiempos: tocar el piano, leer, escuchar la radio

Nombre: Juan Luis Alarcón
Dirección: alarcon111@red.dr
Edad: 17 años
Pasatiempos: ir a la playa, salir con amigos, cantar

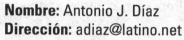

Nombre: Elena Jiménez
Dirección: elenaj@cable.com
Edad: 15 años
Pasatiempos: leer, escuchar la radio, patinar sobre ruedas

Nombre: Antonio J. Díaz
Dirección: adiaz@latino.net
Edad: 16 años
Pasatiempos: jugar al béisbol, leer, nadar, ir al cine

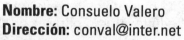

Nombre: Consuelo Valero
Dirección: conval@inter.net
Edad: 17 años
Pasatiempos: salir con amigos, ir al cine, bailar

1. ¿A quién le gusta tocar el piano?

   _____

2. ¿A quiénes les gusta leer?

   _____

3. ¿Qué le gusta hacer a Consuelo?

   _____

4. ¿A quiénes les gusta jugar al béisbol?

   _____

5. ¿Le gusta bailar a Juan Luis?

   _____

6. ¿A ti qué te gusta hacer?

   _____

Cultura

7 La familia dominicana

Read the following statements about Dominican families and decide whether they are *cierto* (true) or *falso* (false). Write **C** or **F** in the space provided.

1. _____ The traditional family structure has changed in the last few decades.

2. _____ Today the average Dominican household consists of eight people.

3. _____ Family members might immigrate to other countries.

4. _____ Parents are opting to have more children than before.

5. _____ Many traditional Dominican values have disappeared.

6. _____ Dominicans have close relationships with their friends and neighbors.

8 La República Dominicana

Based on what you have learned about the Dominican Republic, complete the sentences on the left with the phrases on the right.

1. _____ Uno de los músicos favoritos de los dominicanos es…

2. _____ El merengue es un ritmo…

3. _____ El merengue representa…

4. _____ La güira es de la cultura…

5. _____ Los dominicanos escuchan música…

6. _____ El merengue es un baile…

7. _____ La bachata tiene su origen en…

8. _____ La bachata es un ritmo…

9. _____ La palabra "bachata" tiene su origen en…

10. _____ La guitarra, la güira, el tambor bongó y las maracas son los instrumentos de…

A. en todas partes.

B. romántico.

C. Juan Luis Guerra.

D. divertido.

E. la bachata.

F. una unión de culturas.

G. antiguo.

H. taína.

I. África.

J. los años sesenta.

Vocabulario B2

9 Juego

Write the opposite words in the spaces provided. Then unscramble the circled letters to complete the sentence on the bottom.

1. rápido ___ ___ ⬭___⬭ ___ ___

2. generosa ___ ___ ___ ___ ⬭___⬭ ___

3. divertido ___ ___ ⬭___⬭ ___ ___ ___ ___

4. tonto ___ ___ ⬭___⬭ ___ ___ ___ ___ ⬭___⬭ ___

5. bonitos ___ ___ ___ ⬭___⬭ ___

6. alta ___ ⬭___⬭ ___ ___

7. mala ___ ___ ⬭___⬭ ___

8. gordo ___ ⬭___⬭ ___ ___ ___ ___ ___

9. fácil ___ ___ ___ ___ ___ ⬭___⬭ ___

10. rubia ___ ___ ___ ___ ⬭___⬭ ___

La clase de español es _____.

10 ¿Cómo es?

Complete the following descriptions, according to the pictures.

MODELO:  Alicia es <u>baja.</u>

1. Raquel es _____.

4. La clase es _____.

2. Don Fernando es _____.

5. Quique es _____.

3. El avión es _____.

6. La tarea es _____.

Gramática B2

11 **¿Qué quiere decir?**

Match the description in English on the left with the correct expression in Spanish on the right.

1. _____ The fruit is not ripe.   A. Está en el parque.

2. _____ Marta looks pretty today.   B. Es guapa.

3. _____ The book is not interesting.   C. Es en el parque.

4. _____ Marta is at the park.   D. Está verde.

5. _____ Marta's backpack is green.   E. Es aburrido.

6. _____ Marta is not interested now.   F. Es verde.

7. _____ Marta is pretty.   G. Está guapa.

8. _____ The concert is in the park.   H. Está aburrida.

12 **¿Cuál es el verbo correcto?**

Choose the verb that logically completes each sentence.

1. Mi padre (es / está) un señor bueno, inteligente y generoso.

2. Lorenzo va a ir al médico porque (es / está) enfermo.

3. Mis hermanos y yo (somos / estamos) de Nueva York.

4. ¿Dónde (es / está) el concierto de Marc Anthony?

5. ¿Por qué (eres / estás) nerviosa, Lita?

6. La casa de Juan (es / está) cerca de la playa.

7. Mi casa (es / está) muy grande y muy bonita.

8. Mis amigos y yo (somos / estamos) muy contentos en la fiesta.

9. ¿Quiénes (son / están) en la clase de computación?

10. Federico y Alejandro (son / están) muy buenos amigos.

13 ¿Ser o estar?

Complete the following conversation with the correct forms of the verbs *ser* or *estar*.

MARTÍN: ¡Hola, Berta! ¿Cómo (1)_____?

BERTA: Bien, gracias. Oye, (2)_____ muy guapo.

MARTÍN: Gracias. Voy a una fiesta.

BERTA: ¿Sí? ¿Dónde (3)_____ la fiesta?

MARTÍN: En la casa de Lorena.

BERTA: ¿Quién (4)_____Lorena?

MARTÍN: Lorena (5)_____ la prima de Carlos. Ella (6)_____ en nuestra clase

de computación. (7)_____ de la República Dominicana.

BERTA: (8)_____ la chica alta, delgada y morena, ¿verdad?

MARTÍN: Sí. ¿Quieres ir a la fiesta?

BERTA: No, gracias. (9)_____ ocupada.

14 ¿Somos o estamos?

Complete the following sentences with the correct form of *ser* or *estar* as appropriate.

1. El agua _____ muy fría. No _____ bueno beber
   agua muy fría.

2. Nosotros _____ en la biblioteca, pero no _____
   estudiantes de la escuela.

3. La clase de español _____ interesante, pero hoy todos nosotros

   _____ aburridos.

4. Josefina y Mario _____ simpáticos. ¡Salir con ellos _____
   muy divertido!

5. _____ divertido ir a un partido de fútbol, pero el partido de hoy

   _____ lento.

6. ¿Cómo _____ tus primos? ¿ _____ pelirrojos?

7. ¿Cómo _____ el abuelo hoy? ¿ _____ enfermo?

8. Los profesores y estudiantes _____ en clase ahora. ¿A qué hora

   _____ la otra clase?

15 Hay un concierto

Look at the following advertisement for a concert. Use the information in it to answer the questions.

1. ¿Cuándo van a tocar en la Plaza Mayor?

   _____

2. ¿Dónde van a tocar el domingo?

   _____

3. ¿Quiénes son los cantantes?

   _____

4. ¿Cómo es el Sr. Mejía Godoy? ¿Calvo o canoso?

   _____

5. ¿Te gusta ir a conciertos? ¿Por qué?

   _____

👑
16 **¿Qué le gusta a quién?**

Create sentences using elements from each column. Use all the elements in the first and last columns. You may use the words in the middle columns more than once.

A	B	C	D
a mis padres	me	gusta	~~bailar~~
a mí	te	gustan	jugar
a ti	le		cantar
~~a tus hijas~~	nos		la clase de arte
a los sobrinos	les		los libros de historia
a mi familia			las naranjas
a mi amigo y a mí			los frijoles

MODELO: A tus hijas les gusta bailar.

1. _____

2. _____

3. _____

4. _____

5. _____

6. _____

👑
17 **Quiero hablar de mi familia**

Imagine you are writing a message to your ePal in the Dominican Republic. Tell him or her about your family. What do they look like? What are their personalities? What do they like or not like to do? Make sure to describe at least three family members.

_____

_____

_____

_____

_____

_____

_____

18 **¿A ti te gusta? ¡A mí, no!**

Read the dialog between two friends. Then answer the questions in complete sentences.

SANDRA: ¡Estás muy guapa hoy, Mónica! Me gusta tu blusa. ¿Es nueva?

MÓNICA: No, es de mi hermana, Patricia. A ella le gusta ir de compras. Para mí es bueno
            ¡porque me gusta su ropa!

SANDRA: ¿Quieres un refresco? Están muy fríos. Me gustan muy fríos.

MÓNICA: No, gracias. A mí no me gustan los refrescos muy fríos.

SANDRA: ¿No están aquí tus primas?

MÓNICA: Sí, están con mi madre y mis tíos en el centro. Les gusta mirar las tiendas.

SANDRA: ¿Cómo son tus primas?

MÓNICA: ¡Son muy altas! Mi prima Laura es rubia y Ana es morena. Son muy amables.
            A Ana le gusta patinar. ¿Quieres patinar con nosotras luego?

SANDRA: ¡Claro!

1. ¿De quién es la blusa que le gusta a Sandra?

    _____

2. ¿Le gusta ir de compras a la hermana de Mónica?

    _____

3. ¿Por qué no quiere Mónica un refresco?

    _____

4. ¿Dónde están las primas de Mónica?

    _____

5. ¿Qué les gusta hacer a los parientes de Mónica?

    _____

6. ¿Cómo es Laura?

    _____

7. ¿Qué le gusta hacer a Ana?

    _____

19 Comparaciones

Compare the qualities or circumstances of your friends and family. Complete the questions using the present tense of *ser* or *estar*. Then, answer the questions in a complete sentence.

1. ¿Cuál de tus primas _____ más inteligente?

   _____

2. ¿_____ Uds. ocupados o aburridos?

   _____

3. ¿Quiénes _____ más generosos: los abuelos o los tíos?

   _____

4. ¿Cuál _____ más lejos de Miami: Houston o Los Ángeles?

   _____

5. Ahora tú _____ en Puerto Rico, pero ¿de dónde _____

   tu familia?

   _____

6. ¿Cómo _____ tus hermanas?

   _____

7. ¿Por qué _____ Uds. apurados?

   _____

8. ¿Cómo _____ tu papá? ¿Cómo _____ hoy?

   _____

Unidad 5

Lección A

Vocabulario A1

1 **En la tienda**

Complete the following sentences logically with the appropriate words.

lástima	DVD	estéreo	dinero	reproductor
audífonos	tableta	artículos	caramba	portátil

1. Los chicos entran en la tienda de _____ electrónicos.

2. Mauricio busca unos _____ para escuchar música en su teléfono celular.

3. ¡_____! La tienda no tiene el _____ de la nueva película de Ryan Gosling.

4. Carolina ve un _____, una _____ y un _____ de DVD.

5. ¡Qué _____! Ella no tiene _____ para comprar los artículos electrónicos.

6. Mi papá quiere comprar una computadora _____ para trabajar (*work*) en casa.

Gramática A1

2 **¿Qué tienen?**

What do the following people have in their suitcases as they leave on a trip to Costa Rica? Complete the sentences with the present tense of the verb *tener*.

1. Arturo _____ un mapa de Costa Rica.

2. Nosotros _____ tres DVD de música salsa.

3. Irene y Maite _____ cinco camisetas.

4. Tú _____ un diccionario de español.

5. Yo _____ dos libros sobre las selvas tropicales.

6. Don César _____ mucho dinero.

3 **¡Qué sorpresa!**

What a coincidence! Write a sentence saying that the person in parentheses also has it. Be sure to change the verb forms when necessary.

MODELO: Guillermo tiene veinte años. (yo)
<u>Yo también tengo veinte años.</u>

1. El Sr. Camacho tiene un parlante inteligente. (mis primos)

   _____

2. Yo tengo una tableta. (Maricela)

   _____

3. La profesora Ruiz tiene un mapa de San José. (nosotros)

   _____

4. Lorena tiene una computadora portátil. (tú)

   _____

5. Sergio y Mateo tienen una consola de juegos. (yo)

   _____

6. Mi hermano tiene quince años. (Ramón)

   _____

7. Antonio tiene muchas películas digitales. (nosotros)

   _____

8. Ignacio tiene muchos amigos en Costa Rica. (mi tía)

   _____

9. Carlos y Joaquín tienen audífonos nuevos. (Paco y tú)

   _____

10. Mi hermano tiene mucho dinero. (David)

   _____

4 En el autobús

Imagine you are in a tour bus in Costa Rica. Look at the drawing and write what everyone is holding.

MODELO: Daniel
Daniel tiene una revista.

1. Olga

_____

2. los chicos

_____

3. Ángela

_____

4. el Sr. López

_____

5. Ángela y yo

_____

6. tú

_____

5   ¡Qué país!

While visiting Costa Rica, you are awed by some of its sights. Write an appropriate expression for each situation using *qué* + noun or *qué* + adjective.

> **MODELO:**   You see volcán Irazú with its enormous crater.
> ¡Qué volcán!

1. You go to a large store in Sarchí where they sell colorful, hand-painted wooden carts.

   _____

2. You visit the national theater in San José, a beautiful building decorated in rococo style.

   _____

3. At Jacó Beach, you run into one of your classmates, who is also visiting Costa Rica.

   _____

4. You visit Braulio Carrillo, a national park with over 6,000 plant species.

   _____

5. You watch an interesting movie about Columbus' visit to Puerto Limón.

   _____

6. You see a city bus colorfully decorated with painted murals and lights.

   _____

7. You watch an exciting soccer game between Saprissa and Alajuela.

   _____

8. You and a friend have fun zip-lining above the waterfall at Adventure Park.

   _____

9. You float lazily in one of the warm pools at Tabacón Hot Springs.

   _____

10. You see a beautiful scene of multi-colored butterflies hovering over you in the butterfly pavilion at La Paz Waterfall Gardens.

    _____

11. You and your family enjoy the hospitality of the kind Costa Rican people.

    _____

12. Tomorrow you go back home. You feel it is a shame that the trip is over.

    _____

Cultura

6 **Un país de gran riqueza**

Complete the following sentences about Costa Rica with the appropriate expressions from the list.

environment   hot springs   *pura vida*   volcano   *ticos*

gold and silver   electronics   Arenal   natural parks

1. Costa Rica may be a small country, but you can do many activities there. For example,

   you can visit an active _____.

2. The name Costa Rica was given by Christopher Columbus. When he disembarked

   there in 1502, he thought the area had a lot of _____.

3. The Costa Ricans are very involved in protecting the _____.
   They want to preserve their natural resources and encourage ecotourism.

4. There are a lot of _____ because it's very important to protect
   the wildlife.

5. The _____ volcano is a very popular place to visit for both locals
   and guests.

6. Also, you can visit the _____ and enjoy a moment of relaxation.

7. There are many important industries besides tourism in Costa Rica, such as agriculture,

   pharmaceuticals, and _____.

8. When you go to Costa Rica, you will hear some regional words and expressions. For

   example, _____ means "pure life," and Costa Ricans refer to

   themselves as _____.

¡Qué chévere! 1 Workbook

7 Costa Rica

Read the following statements about Costa Rica and decide whether they are *cierto* (true) or *falso* (false). Write **C** or **F** in the space provided.

1. _____ Costa Rica is a country with no army.

2. _____ Costa Rica has never been actively involved in peace processes.

3. _____ Costa Ricans value culture.

4. _____ Costa Rica invests little money in education compared to other Latin American countries.

5. _____ Less than half of the adults in Costa Rica can read and write.

6. _____ Costa Ricans show their love for their country during the Independence Day celebrations.

8 Mi Costa Rica

Complete the paragraph using the correct form of the verb *tener*. Then read each statement about the completed text and decide whether it is *cierto* (**C**) or *falso* (**F**).

Me llamo Valentina. Soy de San José, Costa Rica. Costa Rica es un país muy interesante y bonito. Nosotros (1) _____ muchos parques y playas bonitas. Pero nuestro país es como otros países. Vivimos como personas en otros países. No siempre estamos en la playa o en los parques. Nos gusta estar en casa con los artículos electrónicos. Yo (2) _____ muchos en mi casa porque a mi padre le gustan mucho. Nosotros (3) _____ un parlante inteligente y escuchamos música o buscamos información con él. Mis hermanos (4) _____ una consola de juegos y juegan mucho con ella. Yo (5) _____ un estéreo fantástico porque me gusta mucho escuchar música y bailar. Mi familia (6) _____ un servicio de distribución digital de video para mirar la televisión y ver películas. Y todos nosotros (7) _____ audífonos. ¡No queremos escuchar la música, videos y programas de toda la casa!

8. _____ Hay muchos parques y playas en Costa Rica.

9. _____ Hay muchos artículos electrónicos en la casa de Valentina porque a su padre le gustan.

10. _____ La familia de Valentina no tiene un parlante inteligente, pero quieren uno.

11. _____ A los hermanos de Valentina les gusta ver películas en DVD.

Vocabulario A2

9 **Crucigrama**

Complete the following crossword puzzle.

Horizontales

2. No esta semana; la semana que ___.

3. No mucho.

4. Animal que hace miau.

5. Hacer la ___ para ir de viaje.

7. Hay siete días en una ___.

9. Tienda de libros.

Verticales

1. El tenis, el fútbol y el béisbol son ___.

5. ___ en bicicleta.

6. ___ a un amigo por teléfono.

8. La tienda ___ a las 10:00 AM

Gramática A2

10 Identifica

Circle the verb and underline the direct object in each of the following sentences.

MODELO: Todos los días (llevo) el perro al parque.

1. Víctor compra una revista en la librería.

2. El señor Domínguez hace las maletas.

3. Tú siempre escuchas la radio, ¿verdad?

4. Mis compañeros ven la película de Penélope Cruz.

5. La estudiante nueva contesta las preguntas del profesor.

6. Todas las mañanas yo leo el periódico.

7. Mi tío toma el metro cada día.

8. Los ticos comen gallo pinto.

9. Doña Rosita hace un viaje la semana que viene.

11 La a personal

Write the *a personal* only in those sentences that require it.

1. Mi padre tiene _____ tres hermanos y una hermana.

2. Yo veo _____ mi tío Antonio cada domingo.

3. Mi tío tiene _____ un gato muy gordo.

4. Mi hermana siempre llama _____ nuestros primos.

5. Ellos escuchan _____ Shakira.

6. Mis amigos y yo leemos _____ revistas cómicas.

7. La semana que viene vamos a ver _____ un partido de tenis.

8. Mi madre lleva _____ mi hermana al médico.

12 ¿Lo ves?

Look at the drawing and answer the questions, using direct object pronouns.

MODELO: ¿Ves el piano?
            No, no lo veo.

1. ¿Ves el mapa de Costa Rica? _____

2. ¿Ves la computadora? _____

3. ¿Ves el reproductor de DVD? _____

4. ¿Ves los libros? _____

5. ¿Ves el estéreo? _____

6. ¿Ves las ventanas? _____

7. ¿Ves la pizarra? _____

8. ¿Ves el dinero? _____

9. ¿Ves los pupitres? _____

10. ¿Me ves? _____

13 Complementos directos

Rewrite the following sentences, changing the direct object nouns to direct object pronouns.

MODELO: Graciela lee revistas en español.
Graciela las lee.

1. Javier tiene el reproductor de DVD.

   _____

2. Verónica ve a los niños.

   _____

3. No comprendo las palabras.

   _____

4. Mario llama a la profesora de inglés.

   _____

5. Nosotros tomamos el tren.

   _____

14 ¿Quién lo hace?

Answer the following questions, using the cues in parentheses and direct object pronouns.

MODELO: ¿Quién llama a Enrique? (el Sr. Garza)
El Sr. Garza lo llama.

1. ¿Quién compra un reproductor de DVD? (Manuela)

   _____

2. ¿Quiénes me ven todos los días? (los compañeros)

   _____

3. ¿Quién tiene música de Miguel Bosé? (este servicio de distribución digital)

   _____

4. ¿Quién te escucha cantar? (el perro)

   _____

5. ¿Quiénes toman jugo de tomate? (Alex y María)

15 La semana que viene

Look at Federico's agenda and answer the following questions. Use direct object pronouns when appropriate.

LUNES 8	**JUEVES 11**
comprar el libro de historia	*llevar al gato a casa de tía Marta*
llamar a Lucía	
MARTES 9	**VIERNES 12**
estudiar para el examen de inglés	*hacer la maleta*
	ver la nueva película
MIÉRCOLES 10	**SÁBADO 13 / DOMINGO 14**
ir a la práctica de béisbol	*tomar el autobús a Guanacaste*

1. ¿Dónde crees (*you think*) que Federico compra el libro de historia?

_____

2. ¿Tiene Federico la práctica de béisbol el martes?

_____

3. ¿Adónde lleva al gato el jueves?

_____

4. ¿Cuándo va a estudiar inglés?

_____

5. ¿Adónde toma el autobús Federico?

_____

6. ¿Cuándo hace la maleta?

_____

7. ¿Qué día llama Federico a Lucía?

_____

8. ¿Dónde crees (*you think*) que Federico ve la película el viernes?

_____

16 Lo, la, los, las

Read each mini-dialog. Then answer the question using a direct object pronoun. Follow the model.

MODELO: Lucas: ¿Tienes audífonos?
Camila: Sí, pero están con Carlos.

¿Quién tiene los audífonos de Camila?
<u>Carlos los tiene.</u>

1. Alejandro: ¿A quién llamas?
Sebastián: Llamo a Bea.

¿Quién llama a Bea?

_____

2. Sofía: ¿Ves a la chica con el pelo rubio? ¡Te mira!
Pedro: ¡Es mi prima!

¿Quién mira a Pedro?

_____

3. Enrique: ¿Te gusta escuchar música?
Adolfo: ¡Sí! Escucho música en mi tableta en casa.

¿Cómo escucha música Adolfo?

_____

4. Elena: ¿Cómo vamos a la biblioteca?
Andrea: Mi tío nos lleva.

¿Cómo van ellas a la biblioteca?

_____

5. Lucas: ¿Cuándo vas a hacer las maletas?
Alicia: Muy pronto.

¿Cuándo va a hacer las maletas Alicia?

_____

17 ¡Qué chévere!

Write brief dialogs using the words in the table below. Use the words in columns A-C to write part A of the dialog. Then, in part B use *¡Qué...!* with a word from column D to write a logical reaction to part A.

Note: You do not have to use the words in the order in which they appear in the table, and you should add other words to your dialog as needed. Be creative!

A	B	C	D
yo	ser	lunes	fantástico
tú y yo	llamar	viernes	bueno
~~mamá~~	tener	sábado	malo
hermanos/as	~~mirar~~	fin de semana	divertido
Uds.	salir	...que viene	lástima
compañero/a de	estar	siempre	~~interesante~~
clase	ir	~~nunca~~	aburrido
amigos	buscar	todos los días	bonito
profesor/a			

MODELO: A: <u>Mi mamá nunca mira la televisión.</u>
               B: <u>¡Qué interesante!</u>

1. A: _____

     B: _____

2. A: _____

     B: _____

3. A: _____

     B: _____

4. A: _____

     B: _____

5. A: _____

     B: _____

18 Mi semana

Read the text about Silvia and then answer the questions using complete sentences.

Soy una persona muy ocupada. Estoy en la escuela todo el día de lunes a viernes, pero después de mis clases tengo muchas actividades. Los lunes, miércoles y jueves voy a práctica de béisbol. También juego en los partidos. Tenemos uno o dos partidos cada semana. Tengo clases de piano los martes con la Sra. Vásquez. Ella es la tía de mi amiga Flor. Es muy amable. Toca muy bien el piano. Yo no lo toco muy bien, pero me gusta. Me gustan mucho los fines de semana. Los paso con mis amigos y mi familia. Salgo con mis amigos los sábados. Vamos al cine en el centro o vemos un DVD en casa de Jorge. ¡Él tiene muchos DVD! Los domingos, mi familia y yo comemos en un restaurante. También nos gusta hacer un viaje de una hora para ver a mis tíos y a mis primos. No viven muy lejos. Me gusta mucho ir a su casa porque tienen dos perros y tres gatos. No siempre vamos a un restaurante o a casa de mis primos. Muchos domingos estamos en casa. ¡Qué aburrido!

1. ¿Qué actividad tiene Silvia los lunes, miércoles y jueves?

   _____

2. ¿Cuántos partidos tiene en una semana?

   _____

3. ¿Cómo toca el piano Silvia?

   _____

4. ¿Con quién pasa Silvia los sábados?

   _____

5. ¿Qué tiene Jorge en casa?

   _____

6. ¿Qué hace Silvia y su familia los domingos?

   _____

   _____

7. ¿Le gusta a Silvia estar en casa los fines de semana? ¿Por qué (no)?

   _____

Nombre: _____ Fecha: _____

19 **¿Por qué estoy ocupado/a?**

Imagine your aunt has invited you to spend the week with her, but you really do not want to go. Write her an e-mail and explain why you are so busy that you cannot accept her invitation. What activities do you have during the week? What classes do you have? Make sure to include your feelings about what you say (*¡Qué…!*). Include the verb *tener* in your e-mail as well as lesson vocabulary and grammar.

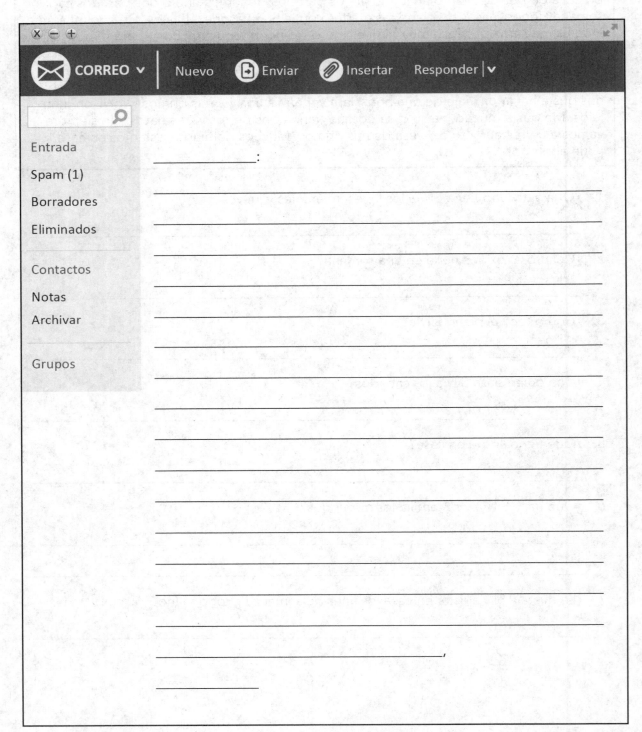

Lección B

Vocabulario B1

1 **Diciembre**

Complete the sentences based on the following calendar.

DICIEMBRE						
LUNES	**MARTES**	**MIÉRCOLES**	**JUEVES**	**VIERNES**	**SÁBADO**	**DOMINGO**
	1	2	3	4	5	6
7	8	9	10	11	12	13
14	15	16	17	18	19	20
21	22	23	24	25	26	27
28	29	30	31			

1. Hoy es miércoles 9. (Ayer / Mañana) fue martes 8.

2. Hoy es el 31 de diciembre. Mañana es el (1 de enero / 30 de diciembre).

3. Hoy es el 17 de diciembre. Anteayer fue el (15 / 16) de diciembre.

4. Hoy es el veinticinco de diciembre. Es (Nochevieja / Navidad).

5. Mañana es el 11 de diciembre. Hoy es (jueves / viernes).

6. Hoy es lunes 21. Pasado mañana es (miércoles 23 / jueves 24).

7. Hoy es el 29 de diciembre. (Anteayer / Ayer) fue el 27 de diciembre.

8. Mañana es Nochevieja. Hoy es el (24 / 30) de diciembre.

2 Un cumpleaños especial

Complete the following paragraph with the words from the list.

mayor	mucho	fue	viene	veintitrés
cumpleaños	temprano	fantástico	nueve	celebrarlo

Ayer, (1)_____ de noviembre, (2)_____

mi (3)_____. Para (4)_____, mis amigos

y yo fuimos al concierto de Ricardo Montaner. Todos los años, Ricardo Montaner

(5)_____ a nuestra ciudad. Me gustan

(6)_____ sus canciones. Mi hermana

(7)_____ de 19 años también fue al concierto. Fue a las

(8)_____ de la noche, pero llegamos al Estadio Nacional

(9)_____, a las siete y media. ¡Fue (10)_____!

Gramática B1

3 **¿De dónde vienen?**

Everyone in the tour group visited a different place in Nicaragua. Complete the following sentences with the present tense of *venir* to find out where everyone comes from.

MODELO: Los señores Castro <u>vienen</u> de Rivas.

1. Yo _____ de Granada.

2. Samuel _____ de León.

3. Flor y Laura _____ de Managua.

4. Tú _____ de Masaya.

5. El Sr. Quiroga _____ de Bluefields.

6. Los compañeros de Tobías _____ de Matagalpa.

4 **¿Cuándo vienen?**

When is everyone coming? Use the clues given and the present tense of *venir* to write complete sentences.

MODELO: José / mañana
<u>José viene mañana.</u>

1. Mateo y Mauricio / pasado mañana

   _____

2. tú / la semana que viene

   _____

3. nosotros / el 1 de enero

   _____

4. Hortensia / hoy

   _____

5. mis parientes / el fin de semana

   _____

Nombre: _____ Fecha: _____

5 **¿Cómo vienen a la fiesta?**

Look at the illustrations and write complete sentences, telling how everyone is arriving at the party.

MODELO: Alberto

Alberto viene en moto.

1. Raúl    5. tú

_____   _____

_____   _____

2. Sara y Rosa   6. Doña Julia

_____   _____

_____   _____

3. Dolores   7. mis primos

_____   _____

_____   _____

4. nosotros    8. yo

_____   _____

_____   _____

¡Qué chévere! 1 Workbook

Cultura

6 Los días de fiesta en Nicaragua

The following web page about Nicaragua has some words missing. Complete the paragraph with the words and expressions from the list.

tradicionales	procesión	Managua	patronales	festivo	Minguito
caballos y carrozas		católica	agosto	Santo Domingo	

En Nicaragua, las principales fiestas están relacionadas con la religión

(1) _____. Muchas ciudades de Nicaragua tienen fiestas

(2) _____ en honor a sus santos. Una de las fiestas más

importantes se celebra en la capital del país, (3) _____, el

primero y el 10 de (4) _____ de cada año. Son las fiestas de

(5) _____. Miles de personas salen a las calles y participan

en la (6) _____. Una estatua pequeña de Santo Domingo,

llamado también (7) _____, es llevada al centro de la

ciudad. El ambiente es (8) _____, pues hay música y danzas.

Los espectadores comparten (*share*) comidas y bebidas (9) _____

por el camino. También hay explosiones de pólvora y un desfile de

(10) _____.

Now, choose the expression that completes each sentence correctly.

11. Minguito is a (shrine / figurine) that commemorates Santo Domingo de Guzmán and is central to the patron saint celebrations.

12. Minguito (was discovered / was identified) by a peasant named Vicente Aburto in Las Sierritas, an area in the outskirts of Managua.

13. The statue is kept in (a burnt tree / the parish church) most of the year, where the saint had given signs it wished to stay.

7 Más fiestas nicaragüenses

Based on what you have learned about Nicaragua, match the description on the left with the corresponding holiday on the right.

1. _____ Es el primero y el 10 de agosto.

2. _____ Se celebra con una procesión de perros.

3. _____ Es el santo patrón de Managua.

4. _____ Es la fiesta de la Inmaculada Concepción de la Virgen María.

5. _____ Es antes de Semana Santa, en la ciudad de Masaya.

6. _____ Combina la devoción religiosa con el amor hacia los animales.

7. _____ Es el 8 de diciembre.

A. Santo Domingo

B. San Lázaro

C. la Purísima

8 ¡A celebrar!

Answer the questions using complete sentences.

1. ¿Cuándo es tu cumpleaños? ¿Quiénes vienen a celebrarlo?

_____

2. ¿Celebras la Navidad?

_____

3. ¿Cómo celebras Año Nuevo? ¿Con quiénes?

_____

4. En Nicaragua celebran *La Purísima* en diciembre. ¿Qué celebras en tu cultura o en tu comunidad en diciembre?

_____

5. Los perros son una parte importante de la fiesta de San Lázaro en Nicaragua. ¿Hay una fiesta en tu cultura o en tu comunidad en que los animales son una parte de la celebración? ¿Cómo es la celebración?

_____

_____

_____

Vocabulario B2

9 Doce meses

In the word-square below, find the Spanish names for the twelve months of the year. The words may read horizontally, vertically or diagonally.

A	O	C	T	U	B	R	E	F	E	R
B	C	T	D	Q	U	I	S	E	F	N
R	D	A	S	J	D	G	E	B	H	O
I	K	I	L	U	U	M	P	R	V	V
L	C	V	C	N	E	L	T	E	O	I
M	A	Y	O	I	Q	U	I	R	P	E
A	P	G	L	O	E	L	E	O	L	M
R	W	E	O	R	T	M	M	I	B	B
Z	A	S	D	S	F	G	B	H	T	R
O	K	L	P	X	T	W	R	R	S	E
R	H	E	N	E	R	O	E	J	E	D

10 ¿Cuánto es?

Read the following numbers and write them out, using numerals.

MODELO: mil setecientos <u>1.700</u>

1. trescientos veinticinco _____

2. cien mil novecientos dos _____

3. mil cuatrocientos cincuenta _____

4. cinco mil ciento veintidós _____

5. doscientos cuarenta mil ochocientos once _____

6. novecientos noventa mil quinientos uno _____

7. setecientos mil cuatrocientos quince _____

8. cien mil ciento trece _____

11 Los doce meses del año

Complete the sentences with the correct month in Spanish.

1. Muchas personas celebran la Navidad en el mes de _____.

2. Estamos en marzo. El mes pasado fue _____.

3. El primer día de verano en Estados Unidos es el 21 de _____.

4. Hoy es el 1 de abril. Ayer fue el 31 de _____.

5. No hay clases en los meses de junio, _____ y agosto.

6. _____ es el primer mes del año.

7. Estamos en abril. El mes que viene es _____.

8. Hoy es el 1 de mayo. Ayer fue el 30 de _____.

9. Estamos en septiembre. El mes pasado fue _____.

10. Hoy es el 31 de octubre. Mañana es el 1 de _____.

11. Hoy es el 1 de octubre. Ayer fue el 30 de _____.

12. Muchos celebran Halloween en el mes de _____.

12 Contesta

Answer the following questions.

1. ¿Cuál es la fecha de hoy?

_____

2. ¿Cuándo es el cumpleaños de tu mejor (best) amigo(a)?

_____

3. ¿Cuántos años cumple tu amigo(a)? ¿Es joven o viejo(a)?

_____

4. ¿En qué fecha es Año Nuevo?

_____

5. ¿Qué año va a ser? ¿Te gusta la idea de estar en ese año?

_____

6. ¿Pasan los años rápidamente?

_____

Gramática B2

13 **¿Cuánto cuesta?**

Look at the following website for electronic devices. Then answer the questions, spelling out the numbers.

> **MODELO:** ¿Cuánto cuesta la consola de juegos?
> <u>Cuesta quinientos ochenta y nueve mil</u>
> <u>quinientos sesenta y cuatro.</u>

1. ¿Cuánto cuesta el grabador de video digital?

   _____

   _____

2. ¿Cuánto cuesta la cámara digital?

   _____

   _____

3. ¿Cuánto cuestan los parlantes inteligentes?

   _____

   _____

4. ¿Cuánto cuesta la pantalla?

   _____

   _____

5. ¿Cuánto cuesta la tableta?

   _____

   _____

6. ¿Cuánto cuesta la impresora 3D?

   _____

   _____

Consola de juegos
Modelo Slim
Definición: 4K/HDR
Capacidad: 1 TB
Conexión: HDMI
Cable: Analógico

Precio: $589.564

Grabador de video digital (HDDVR)
Capacidad: 2 TB
Horas: 500 horas
de contenido HD
Video: 4K
Conexión: HDMMI

Precio: $255.600

Cámara digital
Resolución: 16 megapíxeles
Sensor: FF
ISO: 100
Zoom: 50x
Video: 720p

Precio: $669.000

Parlantes inteligentes
Colores: 12 luces LED
Antena: wifi
Bluetooth
Puerto: micro-USB

Precio: $199.700

Pantalla (monitor)
Tamaño: 29"
Resolución: 2560 x 1080
Conectividad: HDMI, VGA

Precio: $799.999

Tableta
Memoria: 3 GB + 16 GB
Capacidad: 256 GB
Pantalla: 10.1"
Resolución: 1920x1200 WUXGA
Cámara: CMOS 8.0 MP
Octacore CPU 1.6 GHz
Puerto: USB 2.0
Wi-Fi Direct

Precio: $499.500

Impresora 3D
Resolución: 20 micras
Tamaño: 305x205x175 mm
Materiales: PLA, PET
Tecnología: FFF
Conectividad: USB, SD

Precio: $999.000

---

14 Fechas históricas

Spell out the dates of the following historical dates in Latin American history.

MODELO: Nicaragua declara la independencia de España: 15/9/1821
el quince de septiembre de mil ochocientos veintiuno

1. Cristóbal Colón llega a Cuba: 27/10/1492

_____

_____

2. Hernán Cortés toma la capital de los aztecas: 13/08/1521

_____

_____

3. México declara la independencia de España: 16/09/1810

_____

_____

4. La Universidad de San Marcos en Perú abre: 12/05/1551

_____

_____

5. El huracán Mitch llega a Centroamérica: 31/10/1998

_____

_____

6. Gabriel García Márquez recibe el Premio Nóbel de Literatura: 08/12/1982

_____

_____

7. Crean la Organización de Estados Americanos: 30/04/1948

_____

_____

8. El astronauta costarricense Franklin Chang-Díaz va al espacio: 12/01/1986

_____

_____

Repaso

15 Mi cumpleaños

Write a paragraph in which you say when your birthday is, how old you will be, and whether you like the idea of turning that age a lot or not even a little bit. Also mention who is coming to your birthday and describe your plans for that day.

_____

_____

_____

_____

_____

_____

_____

_____

_____

_____

_____

_____

_____

_____

_____

_____

_____

_____

_____

Nombre: _____   Fecha: _____

16   ¿Cierto o falso?

Check your knowledge of lesson vocabulary. Decide whether each statement is *cierto* (true) or *falso* (false). Write **C** or **F** in the space provided. Then rewrite false statements to make them true.

1. _____ Si hoy es miércoles, anteayer fue domingo.

   _____

2. _____ El veinticinco de diciembre se celebra el Año Nuevo.

   _____

3. _____ Quinientos cuarenta y siete es 547.

   _____

4. _____ Yo tengo dieciocho años y mi hermana mayor tiene catorce años.

   _____

5. _____ En Estados Unidos, celebramos nuestro Día de Independencia el 4 de mayo cada año.

   _____

6. _____ El año pasado fue el año mil novecientos noventa y nueve. Estamos en el año dos mil.

   _____

7. _____ Mi abuela es mayor que mi abuelo porque ella nació (*was born*) en 1954 y él en 1947.

   _____

8. _____ Pasado mañana es lunes porque hoy es sábado.

   _____

9. _____ Setecientos cuatro es 604.

   _____

¡Qué chévere! 1 Workbook

Nombre: _____ Fecha: _____

17 **¡Ya vienen de vacaciones!**

Several relatives and friends are coming to Nicaragua on vacation. First complete the answers with the present tense of the verb *venir*. Then create a logical question for each answer.

1. ¿ _____ ?

   El tío Camilo _____ a Managua pasado mañana.

2. ¿ _____ ?

   Laura y Jorge _____ a pasar las vacaciones en la ciudad.

3. ¿ _____ ?

   Yo _____ a la casa a las once y media de la mañana.

4. ¿ _____ ?

   Nosotros _____ otra vez (*again*) el 1 de febrero.

5. ¿ _____ ?

   Lina y yo _____ a cantar al parque los fines de semana.

6. ¿ _____ ?

   Mis tíos _____ a Nicaragua en avión.

7. ¿ _____ ?

   No, yo _____ en autobús.

18 El cumpleaños de Matilde

Read the message from Adriana to her friend Daisy. Then answer the questions in a complete sentence.

Hola, Daisy:

¿Qué tal? Yo estoy bien. También estoy muy ocupada. Mi hermana menor, Julia, cumple catorce años. Su cumpleaños es en una semana, el 1 de agosto, pero lo vamos a celebrar con una fiesta el 31 de julio porque es un viernes. Todos sus amigos vienen a la fiesta, pero ella no lo sabe. Va a ser una sorpresa. También vienen la tía Luisa y el tío Roberto con nuestros primos, Miguel y Mariana. Vamos a estar mis padres, mi hermano mayor y yo, ¡claro!

La idea de mi madre es que yo voy con Julia de compras en el centro. Ella quiere comprar unos zapatos. ¡Ya tiene como doscientos! Pero, es su cumpleaños. Luego, vienen todos sus amigos y la familia a casa. Luego, Julia y yo vamos a casa y ¡allí los va a ver a todos! ¡Va a estar muy feliz!

Vienes a la ciudad el viernes, ¿no? ¿Quieres venir a la fiesta si no estás muy ocupada?

Un saludo,

Adriana

---

1. ¿Cuántos años cumple Julia?

   _____

2. ¿Quién es la hermana mayor?

   _____

3. ¿Cuál es la fecha del cumpleaños de Julia?

   _____

4. ¿Por qué no van a celebrar el cumpleaños de Julia el día de su cumpleaños?

   _____

5. ¿Quiénes van a estar en la fiesta?

   _____

6. ¿Por qué va Adriana al centro con Julia?

   _____

19 Un año de celebraciones en familia

Think about all the important dates and holidays that you and your family celebrate throughout the year. Choose your favorite one and write a paragraph telling about the dates of the special occasions that you and your family celebrate, how you celebrate, and who comes to celebrate with you.

_____

_____

_____

_____

_____

_____

_____

_____

_____

_____

_____

_____

_____

_____

_____

_____

_____

_____

Unidad 6

Lección A

Vocabulario A1

1 **Crucigrama**

Complete the following crossword puzzle with items found in the kitchen and on the dinner table.

Horizontales

1. Pones la ___ antes de comer.

5. Necesitas un ___ para tomar jugo.

6. Los refrescos fríos están en el ____.

7. La ___ da luz artificial.

9. Necesitas una ___ para hacer arepas calientes.

Verticales

2. Necesitas una ___ para limpiarte la boca (*mouth*).

3. Comes en el ___.

4. Enciendes las ___ para ver de noche.

8. Necesitas un ___ para comer pescado.

2 Un mensaje en el refrigerador

Sra. Delgado left her sons a message on the refrigerator door. Complete the note, using the appropriate form of each verb from the list below.

ayudar	cerrar	deben	empezar
encender	pensar	poner	viajar

Hijos:

Tengo que (1)_____ mañana a Colombia.

Deben (2)_____ a su padre a hacer las

siguientes cosas:

Para (3)_____, deben (4)_____

la mesa. Después, (5)_____ estudiar.

Cuando es de noche, tienen que (6)_____

las ventanas y (7)_____ las luces.

También deben (8)_____ en el perro y

darle de comer.

Los quiero,

Mamá

Gramática A1

3 **¿Deber o tener que?**

Complete the following sentences with the correct form of *deber* or *tener que*, whichever is more appropriate.

1. Ramón _____ comprar más servilletas de papel.

2. Beatriz y yo _____ ayudar en la cocina.

3. Tú _____ hacer la tarea de español.

4. Yo _____ ir a Caracas el doce de marzo.

5. Uds. no _____ ver mucha televisión.

6. Félix _____ poner la mesa del comedor.

7. Nosotros no _____ lavar los platos hoy.

8. Los estudiantes _____ ser más amables con el profesor.

9. Nosotros los hijos _____ ayudar más a la mamá en la cocina.

10. Chicas, ustedes _____poner los vasos en el lavaplatos.

4 **Pensar, pensar de y pensar en**

Choose from the different uses of *pensar* to complete each sentence.

MODELO: ¿_C_ tu familia?

A. piensas   B. piensas de   C. piensas en

1. ¿Qué _____ mi nuevo amigo?

2. ¿Adónde _____ ir de vacaciones?

3. ¿_____ visitar a tus parientes en Colombia?

4. ¿_____ tus abuelos?

5. ¿Qué _____ la idea de ir al cine?

6. ¿Qué _____ hacer el fin de semana?

7. ¿_____ tu futuro?

8. ¿_____que la clase de español es divertida?

9. ¿Qué_____ la lámpara que tiene papá?

5 **¿En qué piensas?**

Complete the following conversation with the appropriate forms of the verb *pensar*.

CLAUDIA: Hola, Alonso. ¿En qué (1)_____?

ALONSO: (2)_____ en mi viaje a Venezuela.

CLAUDIA: ¡Qué divertido! Mis padres y yo también (3)_____ ir a Venezuela.

ALONSO: ¿(4)_____ Uds. ir a la playa?

CLAUDIA: ¡Claro! Nosotros (5)_____ ir a Playa Colorada. ¿Y tú?

ALONSO: Yo (6)_____ ir a isla Margarita.

CLAUDIA: ¿Cuándo (7)_____ ir?

ALONSO: (8)_____ hacer el viaje la próxima semana.

CLAUDIA: ¿Qué (9)_____ el profesor de tu viaje?

ALONSO: Él (10)_____ que debo estudiar en la playa.

CLAUDIA: ¡Yo (11)_____ que es imposible!

6 **¿Qué hacen?**

Complete the sentences with the correct forms of the verbs shown in parentheses.

1. Carmen, ¿_____ ir al concierto de piano con nosotros? (querer)

2. Ella lo _____ mucho, pero tiene que estudiar. (sentir)

3. Nosotros _____ comer hallacas en el restaurante venezolano. (pensar)

4. El restaurante _____ a las diez de la noche. (cerrar)

5. Todas las noches, Marcos y Ana _____ la televisión. (encender)

6. Yo _____ leer un buen libro. (preferir)

7. Los chicos _____ ir al cine. (querer)

8. La película _____ a las ocho de la noche. (empezar)

7 **¿Qué hacen?**

Combine words from each column to write six complete, logical sentences. Make sure you use the appropriate forms of the verbs.

mis amigos	cerrar	a estudiar a las siete
yo	empezar	no poder ir a tu fiesta
mi primo	encender	la puerta del refrigerador
tú	preferir	escuchar música
mi familia y yo	querer	mirar una película
los estudiantes	sentir	la radio del carro

1. _____

2. _____

3. _____

4. _____

5. _____

6. _____

Cultura

8 **Venezuela**

Read the following statements and decide whether they are *cierto* (true) or *falso* (false). Write **C** or **F** in the space provided.

1. _____ Venezuela is a mix of European, indigenous, and African cultures.

2. _____ Maracaibo is a small town.

3. _____ In Caracas there are no high-rise buildings.

4. _____ People in the slums of Caracas live in shacks called *shabonos*.

5. _____ The people with more money prefer to live in the business district.

6. _____ Members of the Yanomami tribe live in communal housing.

7. _____ Many homes in Venezuela have a *chinchorro* for resting in the patio.

9 **La comida venezolana**

Pablo wants to cook some typical Venezuelan food, but he mixed up the ingredients. Help him by writing the following ingredients under the appropriate column.

carne   arroz   agua   frijoles negros
harina de maíz   carne   sal   hojas de plátano
aceite   harina de maíz   vegetales   especias

Arepas	Pabellón criollo	Hallacas

10 **Un almuerzo venezolano**

Diana and Esteban are going to help their mother prepare a typical Venezuelan meal. Complete the dialog with the correct forms of the verbs from the word bank. You will use one of the verbs more than once.

deber	empezar	encender	pensar	querer	tener

MAMÁ: Chicos, ¿me ayudan con el almuerzo, por favor? Vamos a hacer arepas.

           ¿ (1) _____ Uds. las arepas con frijoles?

ESTEBAN: Sí. Me gustan las arepas con frijoles. ¿ (2) _____ yo la estufa?

MAMÁ: Sí, la estufa (3) _____ que estar caliente.

DIANA: ¿ (4) _____ poner yo la mesa? ¿Qué necesitamos?

MAMÁ: Necesitamos cuatro platos y vasos, los cubiertos para comer y las servilletas.

DIANA: No veo los platos.

MAMÁ: Los (5) _____ que buscar en el lavaplatos. Hay platos limpios allí.

ESTEBAN: Mamá, los frijoles están en el horno microondas. ¿Cuánto tiempo necesitan?

MAMÁ: Yo siempre (6) _____ con tres minutos.

ESTEBAN: Yo (7) _____ que van a necesitar más tiempo.

Vocabulario A2

11 Categorías

Choose the word in each row that does not belong in the group.

MODELO: pan   sopa   (tenedor)   mantequilla

1. cuchillo   postre   tenedor   cuchara

2. plato   vaso   taza   pimienta

3. sal   cucharita   pimienta   azúcar

4. sopa   agua   leche   cubiertos

5. estufa   mantel   servilleta   plato

6. arepa   sopa   pan   taza

12 Ocho diferencias

Look at the two illustrations carefully and find the differences. Write the eight objects that are missing from the second illustration in the spaces provided.

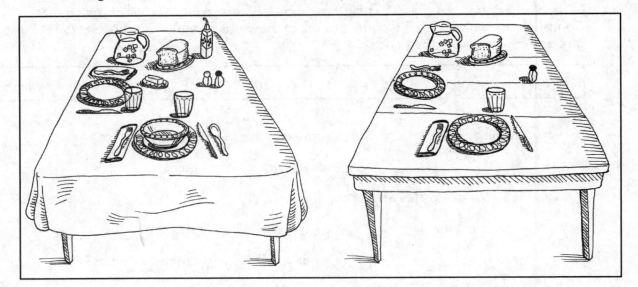

1. _____

2. _____

3. _____

4. _____

5. _____

6. _____

7. _____

8. _____

13 **Supermercado González**

Read the following advertisement and answer the questions.

1. ¿Cuánto cuesta (costs) el pan?

_____

2. Si tienes 14 pesos, ¿cuántos litros de aceite puedes comprar?

_____

3. ¿Qué cuesta más: el pan o la sopa?

_____

4. ¿Qué cubierto necesitas para comer sopa?

_____

5. ¿Qué comida puedes cocinar con aceite?

_____

Gramática A2

14 Este...

Write sentences saying where the following things are from, using the correct forms of the demonstrative adjective *este*.

MODELO: servilletas / Guatemala
Estas servilletas son de Guatemala.

1. mantel / España _____

2. tazas / Colombia _____

3. cubiertos / Perú _____

4. estufa / México _____

5. plato / Venezuela _____

6. lámpara / Chile _____

15 Pásame ese...

Use the illustrations and the correct forms of the demonstrative adjective *ese* to say what you want passed.

MODELO: Pásame esa cuchara.

1. _____

2. _____

3. _____

4. _____

5. _____

6. _____

16 Aquel...

Complete the following paragraph with the correct forms of the demonstrative adjective *aquel*.

(1)_____ chicos son mis primos. Ellos viven en (2)_____ casa

amarilla. (3)_____ señora es mi tía. Ella trabaja en (4)_____

restaurante de allá. Ella prepara las arepas. ¡(5)_____ arepas son riquísimas!

17 En un restaurante

Imagine you are at a restaurant with Ramiro, a friend who complains about everything. Complete the sentences with the appropriate forms of *este*, *ese* or *aquel*, based upon the point of view of Ramiro.

1. _____ sopa no está caliente.

2. _____ pan sí está caliente.

3. _____ servilletas son viejas.

4. _____ mesa no tiene mantel.

5. _____ chicos comen mucho.

6. Me gustaría comer _____ postre.

7. _____ vasos están sucios.

8. Los vasos de _____ mesa están limpios.

18 Aquí, allí, allá

Create sentences based on the word in parentheses. Use an element from each column. Be creative!

este/esta	azúcar	querer
estos/estas	cuchara	preferir
ese/esa	~~lámpara~~	tener que
esos/esas	sopa	deber
aquel/~~aquella~~	pan	poner
aquellos/aquellas	mesa	~~encender~~
	mantel	ayudar

MODELO: (allá) <u>Mi padre enciende aquella lámpara todas las noches a las 8:00.</u>

1. (allá) _____

2. (allí) _____

3. (aquí) _____

4. (allí) _____

5. (aquí) _____

19 ¿Debo o tengo que?

For each situation, explain what the people in parentheses *should* do or *have* to do.

MODELO: Los platos están sucios.
(Ud.) <u>Ud. tiene que ponerlos en el lavaplatos.</u>

1. Nuestra sopa está muy fría.

   (Uds.) _____

2. Son las 9:00 de la noche y no veo.

   (tú)_____

3. La puerta del refrigerador está abierta.

   (yo) _____

4. Queremos comer, pero no hay ni platos ni (*nor*) cubiertos en la mesa.

   (Juan Carlos y yo) _____

5. Hay pimienta en la mesa, pero no hay sal.

   (Almira)_____

20 Artículos de mesa y cocina

Read the dialog among family members who are shopping for household items.
Complete the dialog by using the correct form of the appropriate verb in the box.

deber	pensar	preferir	querer	tener

DANIEL: Mamá, ¿(1)_____ que comprar un horno microondas nuevo?

MAMÁ: Yo (2)_____ que sí. El otro está malo.

PAPÁ: ¿Cuál (3)_____ Uds., el blanco o el negro?

CAROLINA: El blanco.

DANIEL: Papá, Mamá. Yo (4)_____ que nosotros (5)_____
           comprar una lámpara nueva para los abuelos.

CAROLINA: ¡Sí! A ellos les va a gustar mucho.

PAPÁ: ¿Qué (6)_____ Uds. de esta lámpara?

MAMÁ: Es bonita.

CAROLINA: Daniel, ¿qué más hay en la lista?

DANIEL: Hay cucharas y cucharitas en la lista.

CAROLINA: ¿Cuántas cucharas y cuántas cucharitas?

DANIEL: (7)_____ que comprar dos cucharas y tres cucharitas.

PAPÁ: No está en la lista, pero yo (8)_____ comprar unos platos
           de postre.

DANIEL: ¿Cuántos (9)_____ comprar?

CAROLINA: Somos cuatro, pero (10)_____ comprar seis. ¡El abuelo Jorge

           y la abuela María siempre (11)_____ comer postre!

Nombre: _____   Fecha: _____

21 **¡En contacto desde Caracas!**

Read the e-mail Lucía wrote to her friends while she was visiting Venezuela with her family.
Then, answer the questions in complete sentences.

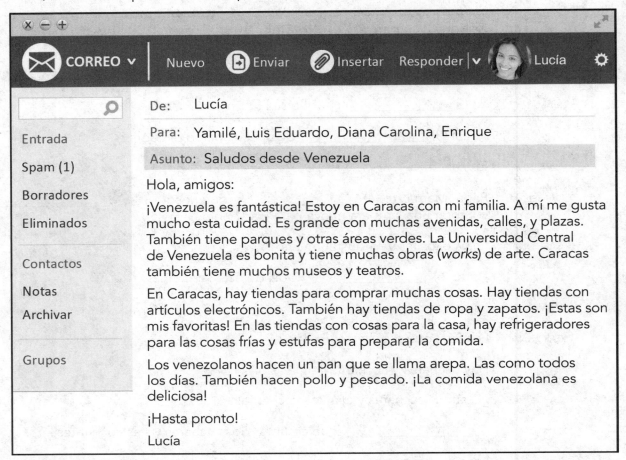

De: Lucía

Para: Yamilé, Luis Eduardo, Diana Carolina, Enrique

Asunto: Saludos desde Venezuela

Hola, amigos:

¡Venezuela es fantástica! Estoy en Caracas con mi familia. A mí me gusta mucho esta cuidad. Es grande con muchas avenidas, calles, y plazas. También tiene parques y otras áreas verdes. La Universidad Central de Venezuela es bonita y tiene muchas obras (*works*) de arte. Caracas también tiene muchos museos y teatros.

En Caracas, hay tiendas para comprar muchas cosas. Hay tiendas con artículos electrónicos. También hay tiendas de ropa y zapatos. ¡Estas son mis favoritas! En las tiendas con cosas para la casa, hay refrigeradores para las cosas frías y estufas para preparar la comida.

Los venezolanos hacen un pan que se llama arepa. Las como todos los días. También hacen pollo y pescado. ¡La comida venezolana es deliciosa!

¡Hasta pronto!

Lucía

1. ¿En qué ciudad está Lucía?

   _____

2. ¿Cómo es la ciudad?

   _____

3. ¿Qué tiendas le gustan a Lucía?

   _____

4. ¿Qué come mucho en Venezuela Lucía?

   _____

5. ¿Qué piensa de la comida venezolana?

   _____

Lección B

Vocabulario B₁

1 **Plano de la casa**

A. Look at the following floor plan and label the rooms: *baño*, *cocina*, *comedor*, *cuarto*, *garaje*, *patio* and *sala*.

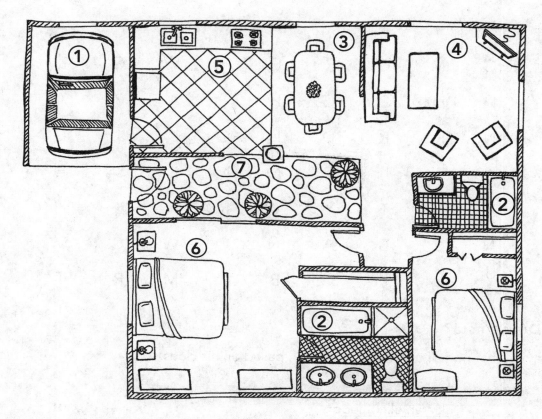

B. Read the following statements and decide whether they are *cierto* (true) or *falso* (false), based upon the floor plan above. Write **C** or **F** in the space provided.

1. _____ La casa tiene dos baños.

2. _____ Los cuartos están en el primer piso.

3. _____ El garaje es muy grande.

4. _____ La cocina está cerca del baño.

5. _____ La sala está al lado del comedor.

6. _____ La televisión está en el cuarto.

7. _____ La casa no tiene escaleras.

8. _____ Los cuartos están cerca del patio.

2 Sopa de letras

In the word square below, find eight words used to describe the different parts of a house. The words may read horizontally, vertically or diagonally.

```
S   T   A   I   R   S   C   H   A   O
C   C   H   P   G   B   U   Z   W   S
X   O   B   N   M   A   A   P   I   A
Q   C   M   C   R   E   R   W   O   L
U   I   D   E   G   H   T   A   P   A
E   N   R   R   D   I   O   L   J   L
P   A   T   I   O   O   M   L   S   E
I   X   N   T   Y   W   R   P   K   H
S   Ñ   O   B   A   Ñ   O   W   C   V
O   Y   U   I   O   B   N   M   R   T
```

3 ¿Dónde está?

Say in what part of the house Ignacio is, based on his clues.

MODELO: Pongo la mesa.
              Está en el comedor.

1. Cierro la puerta del refrigerador.

   _____

2. Abro el carro.

   _____

3. Busco mis zapatos.

   _____

4. Canto en la ducha (shower).

   _____

5. Veo muchas plantas.

   _____

6. Hablo con los amigos de mis padres.

   _____

Gramática B₁

4 **Dicen**

What are the people in the illustration saying? Complete the sentences, using the appropriate form of the verb *decir*.

MODELO:  Tomás <u>dice</u>: "¡Hola!".

1. Daniela _____

2. Yo _____

3. Diana y Mario _____

4. Matilde _____

5. Luisito y Sara _____

6. Doña Carla _____

7. Julio y yo _____

8. Ricardo _____

5 **¿Qué dicen?**

Complete the following sentences, using the appropriate forms of the verb *decir*.

1. Mi hermano _____ que no le gusta escribir.

2. Mis primos _____ que ellos prefieren hablar por teléfono.

3. Carlota _____ que la casa es muy pequeña.

4. Yo _____ que la casa es cómoda.

5. Mi hermano y yo _____ que nos gustaría ir a Cali.

6. Tú siempre _____ que te gustaría ir de compras.

6 **¿Qué dice el periódico?**

Look at the following newspaper ad. Then answer the questions, telling what the ad says.

MODELO: ¿Tienen las casas clósets?
Sí, dice que tienen clósets.

SU CASA NUEVA CON FACILIDADES

Panamericano Jardín
FRACCIONAMIENTO

CRÉDITO FOVI Y DIRECTO

* CASAS DOS Y TRES RECÁMARAS
* UNA Y DOS PLANTAS
* CONSTRUCCIÓN DE LADRILLO
* SUPERFICIE DESDE 76 HASTA 101 METROS DE CONSTRUCCIÓN
* PISOS CERÁMICA, ALFOMBRA Y CLOSETS
* DOS BAÑOS COMPLETOS
* ENTREGA INMEDIATA
* MENSUALIDAD $ 4,417.00 PESOS

CALLE FLORESTA # 6709 FRACC. PANAMERICANO JARDÍN
TELS. (044 656) 658-6324, 626-9282 Y 617-1368

1. ¿Hay casas de dos plantas?

_____

2. ¿Cuántos baños tienen las casas?

_____

3. ¿Cuántos cuartos, o recámaras, tienen las casas?

_____

4. ¿Cuánto es la mensualidad *(monthly payment)*?

_____

Cultura

7 Colombia

You are looking for some information about Colombia before your next trip there. Imagine you found the following information online about Colombia's architecture, but some words are missing. Complete the paragraph with the words from the list.

afroamericana   Caribe   inglesa
apartamentos   clima   pisos
Bogotá   colonial   porche

La arquitectura de Colombia está determinada por su (1) _____ y diversidad

cultural. Las casas de Cartagena, en la costa del (2) _____, conservan el estilo

(3) _____. Las casas son grandes, de dos (4) _____, con colores

alegres. En las ciudades grandes, como (5) _____, mucha gente vive en

(6) _____. Los espacios son más pequeños, pero siempre hay sitio para plantas

y flores. Las construcciones de San Andrés tienen influencia (7) _____

y (8) _____. Las casas tienen un (9) _____. Aquí la

gente descansa (rest) y disfruta (enjoy) del aire fresco.

8 La vida en las casas colombianas

Based on the readings on pp. 300-301, choose the letter that best completes each of the following sentences.

1. La ciudad de Cartagena _____.

   A. preserva un estilo de arquitectura colonial.
   B. tiene muchos profesionales que prefieren vivir en edificios altos.

2. La vida en Bogotá _____.

   A. es tranquila y a la gente le gusta hablar con sus vecinos.
   B. es dinámica y moderna.

3. La Quinta de Bolívar _____.

   A. es un ejemplo de una casa estilo colonial
   B. es un ejemplo de casa de San Andrés, en el Caribe

4. Los patios son característicos de _____.

   A. las casas estilo colonial en Colombia y otros países de Latinoamérica
   B. las casas modernas y cómodas de Bogotá

9 Mi casa en Colombia

Imagine you have moved to Colombia. In the space provided, draw a picture of the colonial-style house where you live. Then, write a paragraph describing the house, focusing on the patio. Use the information you have learned in this lesson.

_____

_____

_____

_____

_____

_____

_____

_____

Vocabulario B₂

10 **¿Qué tienen?**

What are the following people saying, according to the illustrations? Fill in the speech bubbles with *Tengo* and the nouns *calor, frío, ganas de, hambre, miedo, prisa, sed* and *sueño.*

MODELO: Tengo ganas de montar a caballo.

11 Definiciones

Complete the definitions, using the words from the list.

hambre   mentira   perdón   prestada   repito   sed

1. Si no digo la verdad, digo una _____.

2. Si quiero comer, tengo _____.

3. Si digo: "Lo siento", pido _____.

4. Si digo lo que tú dices, _____ lo que dices.

5. Si tengo _____, tomo agua.

6. Si quiero la bicicleta de mi hermano, pido _____ su bicicleta.

12 No es verdad

Say that the following statements are not true by stating the opposite of the underlined words. Follow the model.

MODELO: La abuela tiene mucho tiempo.
           No es verdad. La abuela tiene prisa.

1. Jimena prefiere una casa pequeña.

   _____

2. Yolanda tiene mucha hambre.

   _____

3. Cartagena está cerca.

   _____

4. Pablo debe abrir las ventanas.

   _____

5. Gilberto tiene frío.

   _____

Repaso rápido

13 **Una carta de Medellín**

Complete the following letter with the correct forms of the verbs in parentheses.

Querida Érica,

¿Cómo estás? Yo estoy bien. Ahora (1. vivir) _____ con mis abuelos en

Medellín, Colombia. Mis abuelos (2. tener) _____ una casa grande.

Ellos (3. pensar) _____ comprar un apartamento pero yo

(4. preferir) _____ vivir en esta casa. Las ventanas no

(5. cerrar) _____ bien y hay luces que no (6. encender)

_____, pero tiene "carácter". Todas las noches, mis abuelos y yo

(7. comer) _____ en el patio. Después, (8. salir) _____

a la plaza y allí (9. hablar) _____ con los amigos. Érica, ¿por qué no

(10. escribir) _____ o (11. llamar) _____ por teléfono?

Te quiero,

Armando

Gramática B₂

14 **Repite mucho**

Complete the following paragraph with the correct forms of the verb *repetir*.

Yo no (1) _____ lo que mis amigos dicen porque no me gustan las personas

que (2) _____ todo. Mi amigo Víctor (3) _____ mucho.

Si yo digo "Fantástico", él (4) _____ "Fantástico". ¿Piensas que si mis amigos

y yo (5) _____ lo que Víctor dice, él no va a repetir más? ¿Y tú?

¿(6) _____ lo que tus amigos dicen, o no?

15 ¿Qué piden?

Say what everyone orders at the restaurant, using the cues and the appropriate form of the verb *pedir*.

MODELO: Leonor / agua mineral
Leonor pide agua mineral.

1. yo / sopa de pollo _____

2. los chicos / postre _____

3. la Sra. Duarte / ensalada _____

4. tú / pan con mantequilla _____

5. nosotros / arepas _____

6. Guillermo / jugo de naranja _____

7. Carlos y Elena / pescado _____

8. Paco y yo / hallacas _____

16 *Pedir* y *preguntar*

Complete the following sentences with the correct forms of *pedir* or *preguntar*, whichever is appropriate.

1. Verónica _____ prestado un mantel porque no tiene uno.

2. La abuela _____ por qué Verónica necesita un mantel.

3. Los amigos _____ a qué hora es la fiesta.

4. Eduardo _____ perdón porque no tiene ganas de salir.

5. Nosotros _____: "¿Qué tienes?".

6. Verónica y Nuria _____ ayuda en la cocina.

7. Yo _____ un vaso de agua fría.

8. Tú _____ permiso para ir al baño.

9. Hernán _____ dónde está el baño.

10. Jaime dice una mentira y después _____ perdón.

👑
17 **Buenos consejos**

Complete the sentences using the correct forms of *deber* and expressions with *tener*.

MODELO: Si Uds. <u>tienen sed</u>, <u>deben</u> tomar una bebida fría.

1. Si Ud. _____, _____ comer algo.

2. Si _____, Uds. _____ cerrar la puerta.

3. ¿Tu hijo _____ por la noche? Tú _____ encender la luz.

4. Si Carlos _____, _____ correr a la escuela.

5. Hugo y yo _____ después de correr. _____ beber mucha agua.

6. Joaquín _____ ganas de nadar. _____ ir a la piscina.

7. Diana y Lorena _____ abrir la ventana si _____.

👑
18 **Cuando tengo hambre....**

Read each sentence and then write a complete sentence explaining what you do in each situation. Follow the model.

MODELO: Mi amiga tiene mucha hambre.
<u>Voy a su restaurante favorito y compro comida para ella.</u>

1. Mi hermano pequeño tiene miedo de los perros.

_____

2. Estoy en clase y tengo mucho sueño.

_____

3. Mis amigos y yo tenemos ganas de nadar.

_____

4. Me gustaría aprender italiano.

_____

5. A mi primo le gustaría venir a mi casa.

_____

Nombre: _____ Fecha: _____

19 Mi casa ideal

Read the dialog among four university friends. Then answer the questions in complete sentences.

ALFREDO:	Lucila, te hago una pregunta. ¿Dónde te gustaría vivir?
LUCILA:	Pienso que me gustaría vivir aquí en Bogotá.
ALFREDO:	¿Por qué dices que prefieres vivir en Bogotá?
LUCILA:	Lo digo porque me gusta el frío.
DANIEL:	Nosotros preferimos vivir en Cartagena, ¿verdad, Marcela?
MARCELA:	Sí, a nosotros nos gusta el calor.
ALFREDO:	¿A Uds. les gustaría una casa grande o pequeña?
MARCELA:	Una casa grande es más cómoda.
LUCILA:	Yo quiero una casa pequeña con chimenea para el frío.
DANIEL:	Alfredo, ¿dónde prefieres vivir tú: en Bogotá o en Cartagena?
ALFREDO:	¡Jajá! Mi familia y yo vivimos ahora en Medellín. Nos gusta vivir allá.
DANIEL:	¿Cuántos pisos tiene tu casa?
ALFREDO:	Mi casa tiene uno.
MARCELA:	¿Cuántos cuartos y baños hay?
ALFREDO:	Hay tres cuartos, dos baños y un patio muy grande. Es una casa bonita.
LUCILA:	¡Yo tengo ganas de verla!
ALFREDO:	¿Por qué no hacemos un viaje a Medellín este fin de semana?
	¡Tengo ganas de comer la comida de mi mamá!
MARCELA:	¡Qué fantástico!
DANIEL:	¡Ya tengo hambre!

1. ¿Quién quiere vivir en Bogotá y por qué?

   _____

2. ¿Por qué a Daniel y a Marcela les gustaría vivir en Cartagena?

   _____

3. ¿Por qué Marcela prefiere vivir en una casa grande?

   _____

4. ¿Cómo es la casa de Alfredo?

   _____

5. ¿Por qué los amigos van a hacer un viaje a Medellín?

   _____

¡Qué chévere! 1 Workbook

20 Casa de vacaciones

Imagine you and your family are going on vacation and want to rent a house in that location. Write an e-mail to your travel agent describing what kind of house you would like to rent (*alquilar*). Consider the following questions in your e-mail:

- Where should your house be located?
- How many rooms, stories, and garages should it have?
- Does your family have any special needs or preferences? Will you need a big kitchen, a patio, or a swimming pool?

_____

_____

_____

_____

_____

_____

_____

_____

_____

_____

_____

_____

_____

_____

_____

_____

_____

Unidad 7

Lección A

Vocabulario A1

1 **Crucigrama**

Complete the following crossword puzzle with words used for pastimes.

Horizontal

1. Para jugar a las ___, necesitas fichas (counters) rojas y negras.

3. Nintendo® hace muchos ___.

4. El fútbol ___ es diferente al fútbol (soccer).

6. Necesitas una pelota (ball) y una canasta (hoop) para jugar al ___.

7. Si tienes un A♥ o un 5♦ , juegas a las ___.

8. Un ___ es una actividad divertida.

Vertical

1. Necesitas papel y lápices de color para ___.

2. Si una pieza es un caballo, juegas al ___.

4. Los ___ son ejercicios que haces con música.

5. Para jugar al ___, le das a la pelota (ball) con las manos o los brazos.

2 **¿Qué te gusta hacer?**

Say if you like or you do not like to do the illustrated activities. Follow the model.

MODELO: (No) Me gusta jugar al fútbol americano.

1.

_____

_____

5.

_____

_____

2.

_____

_____

6.

_____

_____

3.

_____

_____

7.

_____

_____

4.

_____

_____

8.

_____

_____

Gramática A1

3 Una familia atlética

Complete the following paragraph with the appropriate forms of the verb *jugar*.

A mi familia le gusta mucho jugar. Todos los sábados, mi hermana Raquel

(1)_____ al básquetbol. Mis padres (2)_____ a las cartas, yo

(3)_____ al ajedrez y mis primos (4)_____ al fútbol.

Por la noche, mis hermanos y yo (5)_____ a los videojuegos. Y tú, ¿a qué

(6)_____ los sábados?

4 ¡Vamos a Argentina!

Look at the following ad for trips around Argentina and answer the questions.

_1.

1. ¿Cuánto cuesta ir a Iguazú?

   _____

2. ¿Cuánto cuesta ir a Bariloche?

   _____

3. ¿Adónde puedes ir por $439?

   _____

4. ¿Adónde puedes ir por $569?

   _____

5 ¿Quién puede ir?

Complete the sentences to say who can and cannot go on a trip to Bariloche.

Sí va a Bariloche	No va a Bariloche
yo	Roxana
Ana	Sr. Valdez
Teresa	Carlos
tú	Víctor
Samuel	Luis
mis papás	los niños
la abuela	el abuelo

MODELO: Roxana <u>no puede ir.</u>

1. Carlos _____.

2. Yo _____.

3. Teresa _____.

4. Víctor y Luis _____.

5. Ana y yo _____.

6. El Sr. Valdez _____.

7. Tú _____.

8. Samuel y yo _____.

9. Los niños _____.

10. Mis papás y yo _____.

11. El abuelo _____.

12. Roxana y el abuelo _____.

13. Tú y yo _____.

14. Carlos y los niños _____.

6 ¿Cuándo vuelven?

Use the cues and the appropriate form of the verb *volver* to write complete sentences, saying when everyone returns from the trip.

MODELO: Ana / sábado
Ana vuelve el sábado.

1. yo / sábado _____

2. tú / domingo _____

3. Teresa / jueves _____

4. Ana y yo / sábado _____

5. Samuel / martes _____

6. mis tíos / viernes _____

7. Raúl y Laura / lunes _____

8. Hugo / miércoles _____

Cultura

7 Argentina

Choose the best completion for each statement about Argentina.

1. Las cataratas de Iguazú están en la región subtropical del…

   A. sur   B. oeste   C. norte

2. La provincia de Mendoza está cerca…

   A. de Buenos Aires   B. de los Andes   C. del Río de la Plata

3. El mate es una infusión que se toma…

   A. en taza   B. con una cuchara   C. con una bombilla

4. La chacarera es…

   A. una bebida tradicional   B. un baile folclórico   C. un parque nacional

5. Los gauchos viven en…

   A. las estancias de las
      pampas   B. las montañas de
                          los Andes   C. la costa del océano
                                                Atlántico

8 **Una visita a Argentina**

Imagine you went to Argentina during the summer, and now you are on social media chatting about your trip with a member of your family. Answer the questions of the person online.

1. ¿Cómo es Argentina?

    _____

    _____

2. ¿Por qué es importante el Río de la Plata para Buenos Aires?

    _____

    _____

    _____

3. ¿Cómo es la ciudad de Buenos Aires?

    _____

    _____

    _____

4. ¿Qué actividades puedes hacer en la Reserva Ecológica de Buenos Aires?

    _____

    _____

5. ¿Qué hacen los porteños en la Costanera?

    _____

    _____

6. ¿Por qué es famoso el nombre Caminito?

    _____

    _____

7. ¿Por qué es el tango un símbolo de Buenos Aires?

    _____

    _____

    _____

Nombre: _____ Fecha: _____

Vocabulario A2

9 **¡Vamos!**

Complete the following conversation with the expressions from the list.

alquilar   apagar   casi   control remoto   dormir

estupendo   mismo   segundo   siglos

ERNESTO: Hola, Eugenia. ¿Qué hora es?

EUGENIA: Son las doce menos diez. Es (1) _____ mediodía.

ERNESTO: ¿Dónde está Memo?

EUGENIA: Está en su cuarto. Quiere (2) _____ porque está muy cansado.

ERNESTO: ¿Quieres ir a (3) _____ una película?

EUGENIA: Sí, (4) _____. Hace (5) _____ que no

veo una película. ¿Cuándo quieres ir?

ERNESTO: Vamos ahora (6) _____.

EUGENIA: Un (7) _____. Primero debo (8) _____

la televisión. ¿Dónde está el (9) _____?

ERNESTO: Aquí está. ¡Vamos!

10 **El tiempo**

Rewrite the following periods of time in order, from shortest to longest.

minuto   siglo   mes   año

semana   día   hora   segundo

_____ → _____ → _____ →

_____ → _____ → _____ →

_____ → _____

Gramática A2

11 ¿Cuánto tiempo?

Using the cues, write questions asking how long has it been since these people did the following things. Follow the model.

> **MODELO:** Vicente / jugar a las damas
> ¿Cuánto tiempo hace que Vicente no juega a las damas?

1. Silvia / alquilar una película

   _____

2. tú / jugar al voleibol

   _____

3. Lola y Paco / correr

   _____

4. Juanita / hacer aeróbicos

   _____

5. nosotros / viajar

   _____

12 Hace mucho tiempo

Now answer the questions from Activity 11, using the following cues.

> **MODELO:** mucho tiempo
> Hace mucho tiempo que Vicente no juega a las damas.

1. un mes

   _____

2. tres días

   _____

3. una semana

   _____

4. mucho tiempo

   _____

5. un año

   _____

13 **Están haciendo muchas cosas**

Say what the following people are doing right now, based upon the drawing. Write complete sentences, using the present progressive.

MODELO: Rosario
          Rosario está haciendo aeróbicos.

1. el Sr. Torres _____

2. tú _____

3. doña Petra _____

4. Ricardo _____

5. don Pablo _____

6. los chicos _____

7. nosotros _____

14 ¿Estás haciéndolo?

Answer the following questions affirmatively, in two different ways: first, by placing the direct-object pronoun before the verb, and second, by attaching the direct-object pronoun to the verb form. Follow the model.

MODELO: ¿Estás haciendo las tareas?
Sí, las estoy haciendo.
Sí, estoy haciéndolas.

1. ¿Estás poniendo la mesa?

   _____

   _____

2. ¿Estás alquilando las mismas películas?

   _____

   _____

3. ¿Estás leyendo el periódico?

   _____

   _____

4. ¿Estás tomando el jugo de naranja?

   _____

   _____

5. ¿Estás viendo la telenovela?

   _____

   _____

6. ¿Estás celebrando tu cumpleaños?

   _____

   _____

7. ¿Estás llamando a tus amigos?

   _____

   _____

8. ¿Estás comprendiendo el español?

   _____

   _____

Nombre: _____   Fecha: _____

15 **Estamos ocupados**

Use an element from each column to write six complete sentences in the present progressive.

A	B	C
yo	jugar a	el cuarto
tú	dormir	la historia
mi amigo	alquilar	las cartas
mi familia y yo	escribir	la telenovela
~~Uds.~~	ver	~~el gato~~
mis compañeros de clase	estudiar	el correo electrónico
Ud.	~~dibujar~~	la casa

MODELO: <u>Uds. están dibujando el gato.</u>

1. _____

2. _____

3. _____

4. _____

5. _____

6. _____

16 **¿Cuánto tiempo hace que...?**

Compose sentences using the expression *hace* + *tiempo* + *que* to say how long something has been in progress. First put the words in the right order and then conjugate the verbs as appropriate.

1. mirar / una hora / el partido / tú

    _____

2. alquilar películas / cinco años / yo / del servicio de distribución digital de video

    _____

    _____

3. la música / tres horas / no / permitir dormir / nos

    _____

4. muchas noches / bien / no / el bebé / dormir

    _____

17 ¿Por qué no?

Imagine that someone is asking you if the people in each scenario can do a particular activity. In each case, explain that the person or people in the scenario cannot do the activity, and give an excuse why not. Use the present progressive when appropriate.

MODELO: ¿Puede Mariano jugar al básquetbol ahora?
<u>No, no puede jugar al básquetbol ahora porque está estudiando.</u>

1. ¿Puedes venir a mi casa después de las clases?

   _____

   _____

2. ¿Quieren Uds. ir de compras con nosotros ahora?

   _____

   _____

3. ¿Puede José llamar a Marisol?

   _____

   _____

4. ¿Le gustaría a Ud. correr en el parque con nosotros ahora?

   _____

   _____

5. ¿Puede Paula escuchar música en el estéreo ahora?

   _____

   _____

6. ¿Jugamos a las cartas ahora?

   _____

   _____

7. ¿Puedo apagar la luz?

   _____

   _____

18 Argentina fantástica

You are in Argentina and decide to blog about your activities. Compose a blog entry of eight to ten sentences describing what you are doing in this moment.

Lección B

Vocabulario B₁

1 **¿Qué estación es?**

Look at the following drawings and read the statements. Write the letter of the drawing that matches the statement in the space provided.

A.

B.

C.

D.

1. _____ Es verano.

2. _____ Llueve.

3. _____ Hay muchas flores.

4. _____ Está montando en patineta.

5. _____ Está patinando sobre hielo.

6. _____ Hace frío.

7. _____ Está dando un paseo por la playa.

8. _____ Es otoño.

9. _____ Es primavera.

10. _____ Hace mucho calor.

11. _____ Es invierno.

12. _____ Hace sol.

2 **El tiempo y tú**

Complete the following statements.

1. Cuando hace sol, me gusta _____.

2. Cuando hace frío, mis amigos prefieren _____.

3. En julio no podemos esquiar en Colorado, pero en cambio podemos esquiar en

   _____.

4. Cuando hace mucho calor, yo _____.

5. Donde vivo, llueve más en el mes de _____.

3 **Las estaciones en Chile**

Find the four seasons of the year and three activities you can do during these seasons in the word square below.

J	S	N	V	E	R	A	N	O	S	I
A	E	N	O	M	S	R	E	A	E	N
O	T	O	Ñ	O	A	W	V	B	S	V
E	E	W	M	N	O	B	B	R	Q	I
A	Q	N	I	U	I	R	L	I	U	E
G	U	T	E	V	R	E	A	L	I	R
O	A	S	E	R	G	R	M	B	A	N
P	R	I	M	A	V	E	R	A	R	O
T	T	A	L	O	B	T	U	X	R	E
D	A	R	U	N	P	A	S	E	O	E

4 **¿A qué estación corresponde?**

Which of the following items typically correspond to each season? List them only once under the season that best fits.

hay flores por todos lados	continúa el frío	estar listo para el frío
estar listo para el calor	todavía no hace mucho calor	hace mucho frío
patinar sobre hielo	continúa el calor	todavía no hace mucho frío
esquiar	hay hielo por todos lados	

Otoño	**Invierno**	**Primavera**
_____	_____	_____
_____	_____	_____
_____	_____	_____
_____	_____	_____
_____	_____	_____

Nombre: ______________________________ Fecha: ________________

Gramática B1

5 Mis amigos y yo

Complete each sentence with the appropriate form of the verb in parentheses.

1. Mis amigos y yo ____________________ en Farellones. (esquiar)
2. Beatriz ____________________ muy bien. (esquiar)
3. Tú ____________________ flores a tu abuela, ¿verdad? (enviar)
4. Nosotros ____________________ estudiando español. (continuar)
5. Daniel ____________________ la lista de palabras nuevas. (copiar)
6. ¿____________________ tú jugando a los videojuegos? (continuar)
7. Laura y Tobías te ____________________ muchos saludos. (enviar)

6 Un correo electrónico

Complete the following e-mail with the appropriate forms of the verbs from the list.

copiar   continuar   enviar   esquiar   saber   tener

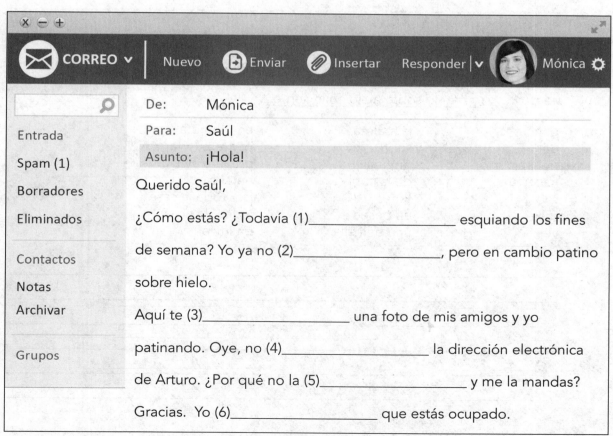

CORREO | Nuevo | Enviar | Insertar | Responder | Mónica

Entrada
Spam (1)
Borradores
Eliminados
Contactos
Notas
Archivar
Grupos

De: Mónica
Para: Saúl
Asunto: ¡Hola!

Querido Saúl,

¿Cómo estás? ¿Todavía (1)________________ esquiando los fines de semana? Yo ya no (2)________________, pero en cambio patino sobre hielo.

Aquí te (3)________________ una foto de mis amigos y yo patinando. Oye, no (4)________________ la dirección electrónica de Arturo. ¿Por qué no la (5)________________ y me la mandas? Gracias. Yo (6)________________ que estás ocupado.

7 **Contesta**

Answer the following questions, using complete sentences.

1. ¿A qué hora sales de la casa por la mañana?

   _____

2. ¿En qué cuarto de la casa haces las tareas de la escuela?

   _____

3. ¿Cuánto tiempo hace que no pones la mesa en casa?

   _____

4. ¿Cuántas horas de televisión ves en una semana?

   _____

5. ¿Por dónde das paseos con tus amigos/as?

   _____

6. ¿Sabes patinar sobre hielo?

   _____

8 **¿Qué haces?**

Combine elements from each column to write six complete sentences with the pronoun *yo*.

MODELO: Yo patino sobre hielo en invierno.

patinar	la maleta	en patineta
dar	sobre hielo	por la puerta
poner	montar	por la playa
hacer	de la casa	en el cine
saber	flores	por toda la casa
salir	un paseo	antes de viajar
ver	una película	en invierno

1. _____
2. _____
3. _____
4. _____
5. _____
6. _____

Cultura

9 **Chile**

Read the following statements about Chile and decide whether they are *cierto* (true) or *falso* (false). Write **C** or **F** in the space provided.

1. _____ La ciudad de Santiago tiene el 50% de la población de Chile.

2. _____ Chile está rodeado por barreras naturales que lo separan del océano.

3. _____ El desierto de Atacama es ideal para practicar rally.

4. _____ La costa de Chile tiene unos 4.000 km.

5. _____ Las personas van a Pichilemu a esquiar.

6. _____ En Chile, no se practica surf porque no hay mucho viento.

7. _____ En Chile, hay ríos y mar, pero no hay lagos.

8. _____ Se practica el rodeo en un estadio semicircular llamado *medialuna*.

10 **Los paisajes de Chile**

Choose the correct answer to complete the following statements.

1. _____ La ciudad de Portillo está…
   A. en la costa del Pacífico
   B. cerca de Argentina
   C. en el sur de Chile

2. _____ Las características geográficas de Chile…
   A. no son buenas para practicar deporte
   B. no son muy atractivas para el turismo internacional
   C. permiten hacer muchas actividades al aire libre

3. _____ El palín es una actividad tradicional de las comunidades…
   A. del norte de Chile
   B. del centro de Chile
   C. del sur de Chile

4. _____ El juego del palín…
   A. es similar al *hockey*
   B. no se juega en tiempos modernos
   C. tiene su origen en Canadá

5. _____ El deporte que incluye una ceremonia religiosa con baile y comida es…
   A. el palín
   B. el fútbol
   C. el rodeo

6. _____ Además del rodeo, los chilenos de todo el país disfrutan del…
   A. surf
   B. fútbol
   C. *rafting*

Vocabulario B2

11 El tiempo en Chile

What is the weather like in Chile? Look at the following newspaper clipping and answer the questions.

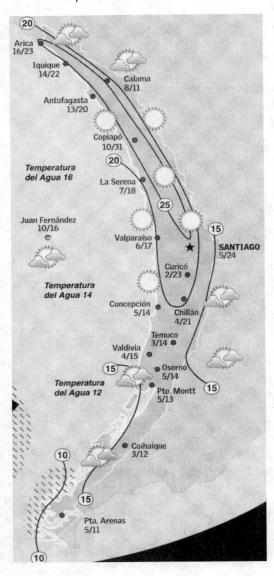

1. ¿Cuál es la temperatura máxima de Santiago?

_____

_____

2. ¿Cuál es la temperatura mínima de Juan Fernández?

_____

_____

3. ¿Está soleado en Arica?

_____

_____

4. ¿Qué tiempo hace en Punta Arenas?

_____

_____

5. ¿Qué tiempo hace en Valparaíso?

_____

_____

6. ¿En qué zona hace más frío, en el norte o en el sur?

_____

_____

7. ¿Cuál es la temperatura del agua en la región central?

_____

8. En tu opinión, ¿dónde hace buen tiempo: en Arica, Puerto Mont o Valparaíso?

_____

Nombre: _____ Fecha: _____

12 **¿Qué tiempo hace?**

For each drawing, write one sentence describing the weather.

MODELO: Hace sol.

1. _____

2. _____

3. _____

4. _____

5. _____

13 **¿Qué temperatura hace?**

Look at the list of cities around the world and their high temperature in degrees centigrade. Decide whether it's hot, cold or mild. Write *Hace calor*, *Hace frío* or *Hace fresco* in the space provided.

1. Madrid 2 °C _____
2. Panamá 33 °C _____
3. Managua 31 °C _____
4. La Paz 21 °C _____
5. Santiago 31 °C _____
6. Nueva York 4 °C _____
7. Bogotá 19 °C _____

8. Los Ángeles 17 °C _____
9. Fairbanks, Alaska -3 °C _____
10. San Juan, Puerto Rico 22 °C _____
11. Quito, Ecuador 36 °C _____
12. Boston 4 °C _____
13. San José, Costa Rica 25 °C _____
14. Lima, Perú 5 °C _____

Nombre: _____ Fecha: _____

Gramática B2

14 Deportistas

Look at each drawing and decide what kind of athlete each person is. Write a complete sentence, naming the person who participates in that sport. Follow the model.

MODELO: Armando es patinador.

1. Pedro y Orlando

_____

_____

5. Maira y Olga

_____

_____

2. Selena

_____

_____

6. Octavio

_____

_____

3. las hermanas Franco

_____

_____

7. Sarita

_____

_____

4. Miguel

_____

_____

8. mis primos

_____

_____

15 ¿En qué lugar?

The following newspaper clipping shows the results of a bicycle race in Buenos Aires, Argentina. Complete the sentences that follow with the appropriate ordinal numbers. Follow the model.

MODELO: Eddy Cisneros llega en <u>cuarto</u> lugar.

La clasificación general

Categoría élite (120 km)

Pos. Ciclista	Equipo	Tiempo
1º Pedro Prieto	Imperial Cord	2h49m
2º Leandro Missineo	Tres de Febrero	m.t.
3º Anibal Alborcen	Keops	m.t.
4º Eddy Cisneros	Coach	m.t.
5º Dario Piñeiro	Tres Arroyos	m.t.
6º Franco Byllo	Bancalari	m.t.
7º David Kenig	Tres de Febrero	m.t.
8º Luis Lorenz	Tres de Febrero	m.t.
9º Daniel Capella	Tres de Febrero	m.t.
10º Gastón Corsaro	Tres Arroyos	m.t.

Promedio del ganardor: 42 km/h.

1. Pedro Prieto llega en _____ lugar.

2. Gastón Corsaro llega en _____ lugar.

3. Darío Piñeiro llega en _____ lugar.

4. Franco Byllo llega en _____ lugar.

5. Leandro Missineo llega en _____ lugar.

6. Daniel Capella llega en _____ lugar.

7. Anibal Alborcen llega en _____ lugar.

8. Luis Lorenz llega en _____ lugar.

9. David Kenig llega en _____ lugar.

16 Primeros en los Juegos Olímpicos

Spanish-speaking countries have always participated in the Olympic Games. Complete the following sentences with the appropriate form of *primer* to learn about their accomplishments.

1. Chile fue el único (only) país latinoamericano que participó en los _____ Juegos Olímpicos modernos en 1896.

2. El argentino Delfo Cabrera fue el corredor que llegó en _____ lugar en el maratón en 1948.

3. En 1972, el cubano Alberto Juantorena fue el _____ corredor en terminar los 400 metros y los 800 metros.

4. En 1996, la costarricense Claudia Poll fue la _____ nadadora en terminar los 200 metros.

5. Jefferson Pérez fue el _____ deportista de Ecuador en ganar (win) una medalla de oro en 1996.

6. Soraya Jiménez Mendivil ganó (won) una medalla de oro en el 2000, la

    _____ mujer (woman) mexicana en hacerlo.

17 ¿Qué mes es?

Answer the following questions in complete sentences.

1. ¿Cuál es el primer mes del año?

    _____

2. ¿Cuál es el octavo mes del año?

    _____

3. ¿Cuál es el tercer mes del año?

    _____

4. ¿Cuál es el quinto mes del año?

    _____

5. ¿Cuál es el décimo mes del año?

    _____

18 **Todo en deportes**

Sports commentators keep the audience engaged by describing what is happening. Figure out the ordinal numbers according to the context. Complete the sentences using the correct ordinal number or sports term from the lesson.

1. ¡El _____ Messi hace el _____ gol! Después, el tercero lo hace Luis Suárez.

2. Carina corre en el _____ lugar. Está después de Constantina, la octava

   _____.

3. La _____ chilena llega sobre sus patines de _____. Antes llega la uruguaya de tercera.

4. En 1989, Arantxa Sánchez es la _____ española que gana el *Grand Slam* de tenis. Garbiñe Muguruza, en 2016, es la segunda.

5. El equipo chileno de básquetbol está en _____ lugar, después de los

   _____ argentinos que son los sextos.

6. Hace nueve días que llueve. Si llueve mañana, el _____ día, los jugadores no van a jugar.

7. Bariloche es muy popular para los _____. Tiene la _____ estación de esquí de Latinoamérica. Antes está la cuarta en Portillo, Chile.

8. Soy la _____ en el *ranking* de la piscina del club, después de mi amiga

   Erika, la séptima _____.

19 ¿Qué tiempo hace allá?

Enrique and Carlota are comparing weather conditions in their respective locations. Carlota is in Colombia, and Enrique is in Minnesota. Complete the dialog with the correct forms of *enviar, hacer, llover, nevar* or *salir*.

ENRIQUE: Hola, Carlota. ¿Qué tiempo (1) _____ allá en Medellín?

CARLOTA: Aquí hay mucha agua. (2) _____ todos los días. ¿Y en Minneapolis?

ENRIQUE: (3) _____ mal tiempo. Hay mucho viento y (4) _____ mucho frío.

CARLOTA: ¿Cuál es la temperatura mínima?

ENRIQUE: Es de -20 °F. Hay mucha nieve. Está (5) _____ ahora.

CARLOTA: ¡Guau! ¿Tú puedes salir con ese frío? ¿Y tus padres? ¿Salen Uds. a esquiar?

ENRIQUE: Hoy, nosotros no (6) _____. Este fin de semana la temperatura máxima va a ser de 10 °F y sí vamos a esquiar.

CARLOTA: Pues yo no (7) _____ a hacer deportes cuando hace mal tiempo. No me gusta salir con esta lluvia.

ENRIQUE: Puedes dar un paseo en carro, ¿no?

CARLOTA: Prefiero montar en patineta, pero en la lluvia no (8) _____.

ENRIQUE: Por favor, ¿me (9) _____ fotos de Medellín por el chat?

CARLOTA: Sí, claro. ¡Tú también debes (10) _____ fotos de Minneapolis.

Now answer the questions based on the dialog.

11. ¿Cuál es la estación del año en Minneapolis?

   _____

12. ¿Qué tiempo hace en Medellín?

   _____

13. ¿Esquía la familia de Enrique cuando hace -20°F?

   _____

14. ¿Sale Carlota a pasear cuando llueve?

   _____

20 **Otras cosas que hacemos**

Read what Arturo and others do at different times of the year. Then answer the questions.

En cada estación del año, las actividades que hacemos son diferentes. En invierno, yo esquío en la nieve con mi hermana Isabel. Somos excelentes esquiadores. Me gusta cuando nieva porque el aire está muy limpio. En la primavera, hay flores por todos lados. ¡Son muy bonitas! Yo las pongo en la mesa del comedor. En verano, hace mucho calor. Por la mañana, doy un paseo por la playa. En otoño, empiezan las clases en muchos países. Hoy, mi prima Elena continúa estudiando para el examen de mañana. Es muy buena estudiante. También es tenista.

1. ¿Hacen Arturo y Elena las mismas actividades durante las diferentes estaciones del año?

   _____

2. ¿Por qué le gusta a Arturo el aire cuando nieva?

   _____

3. ¿Son buenos o malos deportistas Isabel y Arturo? ¿Cómo sabes?

   _____

   _____

4. ¿Qué hace Arturo con las flores en primavera?

   _____

5. ¿Qué hace Arturo en verano?

   _____

6. ¿Qué deporte hace su prima Elena?

   _____

7. ¿Y tú? ¿Qué actividades haces en cada estación del año?

   _____

21 Estaciones y deportes

You are writing a blog post about the activities that are typically done where you live during the different seasons of the year. Include the following information in your post:

- Where you live

- What the weather is generally like for each season

- The maximum and minimum temperatures in each season

- What athletic or active people do during each season

- What you usually do during each season

- Tell the people reading your post that they can send you photos showing seasonal activities where they live.

Unidad 8

Lección A

Vocabulario A₁

1 **¿Qué están haciendo?**

Look at the following drawing. Write what each family member is doing right now to help with the housework.

> **MODELO:**   Andrés <u>está limpiando el baño.</u>

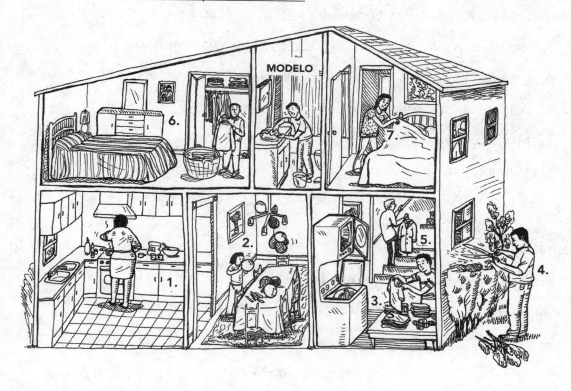

1. La señora Rojas _____

2. Mariana _____

3. Gustavo _____

4. El señor Rojas _____

5. Doña Elmira _____

6. Raúl _____

7. Rosario _____

Repaso rápido

2 Pronombres de complemento directo

Complete each sentence with the appropriate direct object pronoun.

MODELO: Voy a comprar una revista y _la_ voy a leer.

1. Víctor ve el abrigo y _____ compra.

2. Yo siempro lavo la ropa y _____ doblo.

3. Pintamos la pared y luego _____ adornamos.

4. Los estudiantes miran las palabras y _____ copian.

5. Vero va a alquilar tres películas y _____ va a ver esta noche.

6. ¿Por qué no compramos un nuevo DVD y _____ vemos?

7. Héctor hace las maletas y Sonia _____ abre.

8. Mamá compra la comida y, luego, _____ prepara.

9. ¿Compramos un pollo y _____ cocinamos para la comida de hoy?

10. Ana dibuja unos cuadros y nosotros _____ colgamos en la pared.

Gramática A1

3 Pronombres de complemento indirecto

Complete the sentences with the correct indirect object pronouns.

MODELO: ¿_Les_ preparas la comida a tus hermanos?

1. Mañana, _____ voy a lavar el carro a papá.

2. Mario _____ prepara a nosotros una comida especial.

3. Paloma _____ sube a la abuela el café.

4. Rodrigo _____ escribe una carta, pero tú no contestas.

5. Mamá _____ limpia el cuarto a los niños.

6. Yo _____ lavo la ropa a Joaquín y él _____ la dobla.

7. Mi tía _____ cuelga los abrigos a mí y a mi hermana.

8. Su profesora _____ adorna la clase a los estudiantes con los dibujos que hacen.

9. Sergio _____ sube la consola de juegos a sus sobrinos.

4 **Otra vez**

Rewrite the following sentences by moving the indirect object pronoun to another position.

MODELO: ¿Me puedes subir el abrigo?
¿Puedes subirme el abrigo?

1. Le estoy leyendo el periódico al abuelo.

_____

2. Quiero enviarte un correo electrónico.

_____

3. ¿Puedes alquilarme una película divertida?

_____

4. Les debes ayudar a tus padres en casa.

_____

5. Te estamos limpiando el cuarto.

_____

6. Esta noche voy a adornarle la casa a Carlota.

_____

7. ¿Por qué no nos quieres cantar una canción?

_____

8. Queremos celebrarle el cumpleaños a la profesora.

_____

9. Les estoy dejando mi computadora portátil.

_____

10. Voy a hacerle la cama a mi hermano pequeño.

_____

5 ¿A quién le compras?

Imagine you have a gift certificate for the Universal bookstore. Look at some of the books on sale. Make a list of five books you will buy your family members and friends. Make sure to use the appropriate object pronoun and *a* followed by a noun to clarify to whom you are referring.

MODELO: Le compro *Silabario Castellano* a mi hermanita.

Silabario Castellano
¢850

Lo que se Canta en Costa Rica
¢790

Don Quijote de la Mancha
¢3.600

El Principito
¢600

Fichas de Estudios Sociales para Bachillerato
¢4.200

Textos de Lectura y Comentarios 7º
¢2.900

Español 8º
Walter Sandino
¢3.500

1. _____

2. _____

3. _____

4. _____

5. _____

6 ¿Qué acaban de hacer?

Combine elements from each column to write ten complete sentences with the appropriate form of the verb *acabar de*.

MODELO: Uds. acaban de adornar la sala.

Uds.		ayudar con	la cocina
yo		hacer	la cama
Lorenzo		preparar	en el jardín
los hermanos		doblar	el/al primer piso
Mónica	acabar de	limpiar	la comida
mis tíos		adornar	el/al cuarto
tú		trabajar en	la ropa
Lola y yo		subir	la sala
Pepe y tú		colgar	los quehaceres
mi abuela		cocinar	los abrigos

1. _____

2. _____

3. _____

4. _____

5. _____

6. _____

7. _____

8. _____

9. _____

10. _____

Cultura

7 **La vida en España**

Choose the best completion for each statement about everyday life in Spain.

1. La comida más importante y abundante de los españoles es...

   A. el almuerzo

   B. la merienda

   C. la cena

2. Después del trabajo, muchas personas...

   A. van directo a casa

   B. salen a comer algo

   C. duermen la siesta

3. En España la cena es...

   A. entre las 14:00 y las 16:00

   B. entre las 19:00 y las 20:00

   C. entre las 21:00 y las 22:00

4. En España...

   A. los hijos viven con sus padres hasta 18 años

   B. muchos miembros de la familia viven juntos

   C. las mujeres no trabajan fuera de casa

5. En la actualidad, la división de los quehaceres de la casa es...

   A. completamente equitativa (*fair*)

   B. más equitativa que antes

   C. menos equitativa que antes

6. A los españoles...

   A. les encanta la vida social al aire libre

   B. les encanta la vida social en sus propias (*own*) casas

   C. les encanta la vida social en las casas de amigos

8 | Los chicos españoles

Look at the list of activities that young people do in Spain. Write a paragraph telling if you do each of them sometimes, always or never (*a veces, siempre, nunca*). End the paragraph by writing a conclusion as to what you like doing in your everyday life.

hacer recados	pasar tiempo en las redes sociales
recoger la mesa	cenar con la familia
sacar la basura	hacer la tarea
almorzar en casa	salir con amigos
hacer actividades extraescolares	dar un paseo por la ciudad
estudiar inglés	ver una película
estudiar música	ir a un concierto
practicar deportes	salir a bailar

_____

_____

_____

_____

_____

_____

_____

_____

_____

_____

_____

_____

_____

Vocabulario A2

9 **Crucigrama**

Complete the following crossword puzzle.

Horizontales

1. inteligente

4. Como cereal con ____.

5. Tengo que ____ la aspiradora por la sala.

9. Necesito ____ el cuarto porque está desordenado *(messy)*.

10. Para ____, necesitas una escoba *(broom)*.

Verticales

2. Necesito ____ la basura.

3. Cocinamos sopa en una ____.

6. Después de comer, vamos a ____ la mesa.

7. Debes poner las cosas en su ____.

8. Voy a ____ de comer al perro.

Gramática A2

10 **¿Qué oyen?**

Look at the schedule for Radio Premium. (Notice that the schedule uses the 24-hour clock.) Write complete sentences, using the correct form of the verb *oír* to indicate what program each person listens to at the given time.

MODELO: Diego / 17:00
Diego oye La guitarra hoy.

Radio Premium

10.00: La cantata del domingo.
12.00: Festival Premium.
13.00: Radio Jazz (Carlos Allo).
14.00: Divertimento (Jorge Rocca).
15.00: Rarezas (Carlos Majlis).
17.00: La guitarra hoy (Marcelo Gallardo).
18.00: Música insólita (Ricardo Forno).
20.00: Colección Beethoven.
24.00: Suspendamos todo.
1:00: Trasnoche Premium.

Mhz	Mhz
FM Radio Nacional 96.7	FM 100 99.9
FM Cultura Musical 100.3	LS10 Del Plata 95.1
FM Radio Show 100.7	FM Hit 105.5
F.M Cultura 97.9	FM Premium 103.5
FM Tango 92.7	FM Mega 98.3

1. el abuelo / 13:00

   _____

2. Eva y Diana / 12:00

   _____

3. yo / 14:00

   _____

4. mi hermana / 18:00

   _____

5. mis amigos y yo / 20:00

   _____

6. tú / 10:00

   _____

7. Ángel / 1:00

   _____

11 ¿Qué traen?

Write complete sentences with the correct form of the verb *traer* to say what the following people bring to the party.

MODELO: Uds.   Uds. traen los refrescos.

1. yo

_____

_____

5. Rubén

_____

_____

2. Eduardo

_____

_____

6. Sergio

_____

_____

3. Anita y Carmen

_____

_____

7. Pilar y yo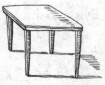

_____

_____

4. tú

_____

_____

8. yo

_____

_____

12 La fiesta de Claudia

Complete the sentences with the preterite forms of the verbs in parentheses.

1. Claudia _____ a organizar su fiesta hace tres semanas. (empezar)

2. Ella _____ a veinte personas. (invitar)

3. Sus amigos le _____ mucho. (ayudar)

4. Conchita _____ un mapa y lo _____ con las invitaciones. (dibujar, enviar)

5. Yo _____ los ingredientes para la comida. (buscar)

6. Yo también _____ los platos y los cubiertos para poner la mesa. (sacar)

7. Marcos y Norma _____ la cena. (preparar)

8. Alejandra _____ y _____ la sala. (limpiar, adornar)

9. Tú _____ la aspiradora y _____ la basura. (pasar, sacar)

10. Cuando las personas _____, yo _____ sus abrigos. (llegar, colgar)

11. Después de comer, Marcos _____ el piano. (tocar)

12. Yo _____ a cantar y bailar. (empezar)

13. Luego, todas las personas _____ y _____. (cantar, bailar)

14. A la medianoche, nosotros _____ juegos. (buscar)

15. Claudia y unos amigos _____ a las cartas. (jugar)

16. Yo _____ a las damas con Marcos. (jugar)

17. Después, tú _____ unas películas. (alquilar)

18. Yo _____ las luces y _____ las ventanas. (apagar, cerrar)

19. Luego, nosotros _____ películas toda la noche. (mirar)

13 Quehaceres en familia

You are describing household chores at home. Complete the sentences using the correct form of the appropriate verb below in the present tense. One verb will be used twice.

arreglar	acabar	adornar	dar	doblar	hacer	lavar
traer						
limpiar	oir	pasar	poner	preparar	sacar	trabajar

Los sábados, nosotros (1)_____ los quehaceres en familia. En la mañana,

cada persona (2)_____ su cama. Mi abuela (3)_____ la

comida en la cocina y mi abuelo (4)_____ en el jardín. Mi hermana

Rosita y yo (5)_____ la mesa. Ella (6)_____ el mantel y yo

(7)_____ los platos, los cubiertos y los vasos.

Mis hermanos Carolina y Luis (8)_____ la aspiradora y le (9)_____

de comer al perro. Mi mamá (10)_____ la ropa y, después, la

(11)_____. Ella (12)_____ la casa con flores.

Después de comer, mi papá (13)_____ la basura y (14)_____

la cocina. Cuando nosotros (15)_____ con los quehaceres,

(16)_____ música juntos.

14 ¿Quién lo hace?

The Ramírez family is spending their Saturday at home. Complete the sentences to say who does the activities according to where they are. Use a direct object pronoun where appropriate to avoid repeating a noun.

El comedor	Su cuarto	El garaje	El patio
Graciela	La Sra. Ramírez	Elías	El Sr. Ramírez

1. ¿Quién acaba de dormir?

   _____

2. ¿Quién va a hacer la cama?

   _____

3. ¿Quién acaba de arreglar las herramientas (*tools*)?

   _____

4. ¿Quién va a limpiar el carro?

   _____

5. ¿Quién acaba de comer?

   _____

6. ¿Quién va a recoger la mesa?

   _____

7. ¿Quién acaba de salir de la casa?

   _____

8. ¿Quién va a trabajar en el jardín?

   _____

Nombre: ______________________________ Fecha: ______________

15 ¿Está todo listo?...

Saúl, Ema and their mother are checking that everything is ready before the Olmos family arrives at their house. Compose questions and answers according to the cues and the information in the table. Follow the model.

	No, todavía no...	Sí, ya...
Saúl	sacar la basura	limpiar los cuartos
Ema	apagar la consola de juegos	colgar la ropa limpiar los cuartos
Mamá	decorar el patio	empezar a cocinar
Los Olmos	llegar a la casa	buscar la casa pero no encontrar

MODELO: limpiar los cuartos
MAMÁ: ¿Ya limpiaron los cuartos?
SAÚL Y EMA: Sí, ya los limpiamos.

1. colgar la ropa
   MAMÁ: ______________________________
   EMA: ______________________________
2. sacar la basura
   MAMÁ: ______________________________
   SAÚL: ______________________________
3. apagar la consola de juegos
   MAMÁ: ______________________________
   EMA: ______________________________
4. empezar a cocinar
   SAÚL: ______________________________
   MAMÁ: ______________________________
5. decorar el patio
   SAÚL Y EMA: ______________________________
   MAMÁ: ______________________________
6. llegar a la casa
   SAÚL Y EMA: ______________________________
   MAMÁ: ______________________________
7. buscar la casa
   SAÚL Y EMA: ______________________________
   MAMÁ: ______________________________

16 Ya acabé

You are describing household chores and other activities you accomplished. Combine elements from all three columns and add any necessary information to compose eight different sentences. Follow the model.

A	B	C	
ahora ayer después cuando luego por la (mañana, tarde, noche) ~~primero~~ ya	yo	apagar buscar colgar empezar explicar llegar tocar sacar	adornar arreglar cocinar dejar doblar ~~estudiar~~ lavar limpiar pasar la aspiradora preparar trabajar

MODELO: Primero, estudié para el examen de mañana.

1. _____

2. _____

3. _____

4. _____

5. _____

6. _____

7. _____

8. _____

Lección B

Vocabulario B1

1 **Sopa de letras**

Find ten food items in the word square below. The words may read horizontally, vertically or diagonally.

A	S	P	L	E	C	H	U	G	A	Z
G	Y	I	E	Z	A	C	V	B	I	T
U	P	M	M	S	X	R	W	A	H	O
I	C	I	O	T	C	I	R	N	F	M
S	A	E	C	Y	H	A	P	O	E	A
A	Z	N	B	U	I	O	D	P	Z	T
N	J	T	A	O	Q	U	I	O	D	E
T	R	O	P	O	L	L	O	G	H	J
E	S	D	C	V	B	L	M	L	K	E
Z	E	A	G	U	A	C	A	T	E	P

2 **Definiciones**

Match each word with the corresponding definition. Write the letter of your choice in the space provided.

1. _____ la lata   A. tienda grande con comida

2. _____ no maduro   B. instrucciones para cocinar

3. _____ la receta   C. verde

4. _____ el supermercado   D. guisantes y pimientos

5. _____ las verduras   E. envase *(container)*

Gramática B1

3 **Comparaciones**

Write comparing sentences, using *más… que* or *menos… que* and the words given.
Make any necessary changes.

MODELO: fiestas / divertido / clases
Las fiestas son más divertidas que las clases.

1. sopa / caliente / ensalada

   _____

2. tomates rojos / maduro / tomates verdes

   _____

3. otoño / frío / invierno

   _____

4. paella / dulce / postre

   _____

5. avión / rápido / tren

   _____

6. verduras frescas / sabroso / verduras en lata

   _____

7. ajo / grande / cebolla

   _____

8. perros / inteligente / gatos

   _____

9. ciencias / aburrido / matemáticas

   _____

10. lechugas / fresco / guisantes en lata

   _____

4 Tienen mucho en común

Read about Clara and Carlos, two twin siblings. Write complete sentences, using *tan/tanto… como* to summarize what they have in common.

> **MODELO:** Clara tiene un cuarto grande. Carlos tiene un cuarto grande también.
> <u>El cuarto de Clara es tan grande como el cuarto de Carlos.</u>

1. Clara tiene muchos amigos. Carlos tiene muchos amigos también.

   _____

2. Clara es simpática. Carlos es simpático también.

   _____

3. Clara tiene cien libros. Carlos tiene cien libros.

   _____

4. Clara corre rápido. Carlos corre rápido también.

   _____

5. Clara juega al básquetbol todos los días. Carlos juega al básquetbol todos los días.

   _____

6. Clara es morena. Carlos es moreno.

   _____

7. Clara va a muchas fiestas. Carlos también va a muchas fiestas.

   _____

8. Clara ayuda con los quehaceres. Carlos ayuda con los quehaceres.

   _____

9. Clara tiene cincuenta DVD. Carlos tiene cincuenta DVD.

   _____

5 Más comparaciones

Complete each sentence by singling out what is talked about. Follow the model.

MODELO: Este supermercado es grande, pero aquel supermercado es
<u>el supermercado más grande</u> de la ciudad.

1. El restaurante Orozco es bueno, pero el restaurante Tamayo es _____
_____ de la ciudad.

2. Manolo corre rápido, pero René corre _____
_____ posible.

3. Tú siempre lees bien, pero hoy debes leer_____
_____ posible.

4. El Hotel Reyes es un hotel malo, pero el Hotel Pulgas es _____
_____ de la ciudad.

5. Teresa es una buena amiga, pero Delia es _____
_____ del mundo.

6. Estas verduras están frescas, pero aquellas verduras son _____
_____ del mercado.

7. Julio dice que Madrid es una ciudad bonita, pero Barcelona es _____
_____ de España.

8. Yo llego al colegio a las ocho, pero mañana tengo que llegar _____
_____ posible.

9. Esta película es bastante mala, pero aquella película es _____
_____ que alquilamos.

10. Tu plato está sucio, pero mi plato es _____
_____ de la mesa.

6 **Humberto y Rogelio**

Complete each comparison with an appropriate expression from the list. Some expressions will be used more than once.

más de	más grande	más pequeña	más pequeño
mayor	menor	menos de	

Humberto tiene quince años. Rogelio tiene dieciséis años.

1. Humberto tiene _____ dieciséis años, pero

   _____ catorce años.

2. Humberto es _____ que Rogelio.

3. Rogelio es _____ que Humberto.

Hay ocho personas en la familia de Humberto. Hay cinco personas en la familia de Rogelio.

4. La familia de Humberto es _____ que la familia de Rogelio.

5. La familia de Rogelio es _____ que la familia de Humberto.

6. Hay un _____ número de personas en la familia de Humberto.

7. Hay un _____ número de personas en la familia de Rogelio.

8. En la familia de Humberto, hay _____ cinco personas.

9. En la familia de Rogelio, hay _____ ocho personas.

Humberto compró cinco aguacates. Rogelio compró diez aguacates.

10. Humberto compró un _____ número de aguacates que Rogelio.

11. Rogelio compró _____ cinco aguacates.

12. Humberto compró un número _____ de aguacates.

13. Rogelio compró un _____ número de aguacates que Humberto.

14. Rogelio no compró un _____ número de aguacates.

15. Humberto compró _____ diez aguacates.

16. Humberto no compró _____ cinco aguacates.

Cultura

7 **La comida en España**

What food is eaten in Spain? Match each dish on the left with its appropriate description in English on the right.

1. _____ tortilla española
2. _____ cochinillo asado
3. _____ pulpo y mariscos
4. _____ butifarra
5. _____ fabada

A. bean stew
B. octopus and shellfish
C. a kind of sausage
D. Spanish omelet
E. a roasted piglet

8 **¿Más o menos?**

Spanish cuisine is part of the Mediterranean diet and includes plenty of fresh produce. When recipes are being prepared, the quality and amounts of ingredients need to be compared. Complete the sentences with comparison terms from the word box. Some may be used more than once.

| más | *menos* | tan | **tanto** | *como* | *mejores* |

1. Esta paella tradicional de Valencia lleva pocos ingredientes. Las paellas de mariscos (*seafood*) llevan muchos ingredientes. La paella valenciana tiene _____ ingredientes que las paellas de mariscos.

2. La receta pide una cebolla grande y dos dientes de ajo pequeños. Le ponemos _____ ajo que cebolla a la paella.

3. El gazpacho parece una sopa fría de tomate. El tomate es el ingrediente _____ importante del gazpacho.

4. Necesitamos tres chorizos y tres jamones para las tapas (*appetizers*). Necesitamos _____ chorizo _____ jamón para las tapas.

5. Los pimientos y los tomates están muy maduros y deliciosos. Estos pimientos rojos están _____ maduros _____ esos tomates.

6. De todas las frutas, las fresas son las _____. Son más ricas que las otras frutas y tienen buen sabor con helado.

7. Mi primo y mi tía aprendieron a cocinar en una escuela excelente. ¡Cocinan muy bien! Mi primo es _____ buen chef _____ mi tía.

8. Frida solo cocina cuando no hay comida. No le gusta cocinar. A Almudena le gusta mucho cocinar. Frida cocina _____ que Almudena.

9 **Una conversación en el mercado**

Create a dialog between the two friends in the illustration, who are shopping at a Spanish market. Have them talk about the things they will be buying at the market and why they will buy them there as opposed to online, in a supermarket, or in a specialty shop.

_____

_____

_____

_____

_____

_____

_____

_____

_____

_____

Vocabulario B₂

10 **En el supermercado**

Imagine you work at a supermarket. Arrange the following foods by writing the name of each item in the appropriate space.

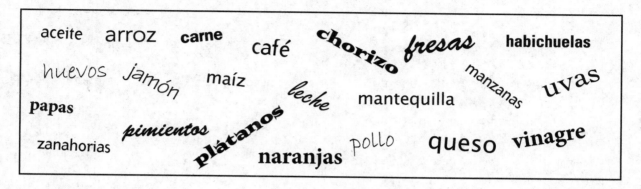

aceite   arroz   **carne**   café   **chorizo**   *fresas*   **habichuelas**

huevos   *Jamón*   maíz   *leche*   mantequilla   manzanas   *uvas*

papas   **pimientos**   *plátanos*   **naranjas**   *pollo*   **queso**   **vinagre**

zanahorias

11 Categorías

Choose the word in each row that does not belong in the group.

1. jamón   carne   arroz   chorizo

2. fresa   naranja   plátano   maíz

3. agua   queso   jugo   leche

4. huevos   guisantes   habichuelas   pimientos

5. uvas   manzanas   fresas   zanahorias

6. queso   leche   papa   mantequilla

Repaso rápido

12 La paella de Julián

Complete the following sentences with the preterite forms of the verbs in parentheses.

1. Julián _____ paella valenciana. (preparar)

2. Julián y Laura _____ la preparación muy temprano. (empezar)

3. Nosotros los _____. (ayudar)

4. Yo _____ la receta en Internet. (buscar)

5. Hernán y Laura _____ los ingredientes en el mercado. (comprar)

6. Laura _____ el pollo y el pescado en aceite y ajo. (cocinar)

7. Hernán _____ las verduras antes de ponerlas en la paella. (lavar)

8. Laura _____ la mesa antes de la comida. (limpiar)

9. Cuando yo _____ de cocinar, _____ la estufa.
   (terminar, apagar)

10. A nosotros nos _____ el postre después de la paella. (gustar)

11. Carlos _____ la basura después de la comida. (sacar)

12. ¿Por qué tú no _____? (ayudar)

13. ¡Yo _____ a comer la paella!

Gramática B2

13 ¿Qué dieron?

Write complete sentences, saying what everyone gave to the food drive, based upon the drawing.

MODELO: Mariana

Mariana dio dos latas de guisantes.

1.   yo _____

2.   Esteban _____

3.   Jorge y Carmen _____

4.   nosotros _____

5.   tú _____

14 ¿Dar o estar?

Complete the sentences with the correct preterite form of *dar* or *estar*.

1. ¿Le _____ tú las flores de cumpleaños a Beatriz?

2. Luis y yo _____ esperándote dos horas.

3. Nosotros _____ dinero para los chorizos de la paella.

4. ¿Vas al supermercado? Yo _____ allá ayer.

5. Yo le _____ a Paula la receta con todos los ingredientes.

6. Uds. _____ en el mercado anteayer.

7. Nosotros le _____ la lista de compras a ella.

8. ¿ _____ tú en la casa todo el día?

15 ¿Ya estuvieron allí?

You need to find out if the following people have already been to the main attractions in Madrid, Spain. Write questions, using a name or pronoun from the list, the preterite form of the verb *estar* and a place marked in the map. Follow the model.

MODELO: ¿Ya estuvo Pedro en la Plaza de Oriente?

Pedro	tú	Carlos	nosotros
Víctor y Nuria	Paloma	Uds.	Sofía

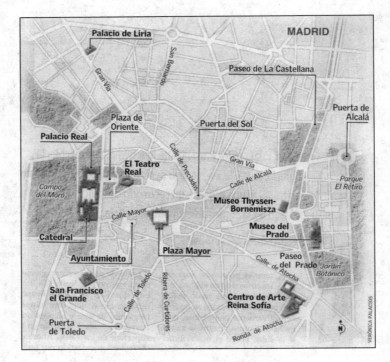

1. _____

2. _____

3. _____

4. _____

5. _____

6. _____

7. _____

16 La lista de las compras

Put the words in the box below into five groups of three related items.

agua **café** *carne* chocolate *chorizo* fresa **jamón** *jugo*
helado lechuga pimiento *manzana* *refresco* zanahoria **uva**

1. _____

2. _____

3. _____

4. _____

5. _____

17 Hacer falta, importar, parecer

When you are planning a meal, you need to make sure you have all the ingredients.
Complete each sentence with the correct form of *hacer falta, importar* or *parecer*.
Then compose the appropriate question.

1. _____

    Solo me _____ el queso. (para la receta)

2. _____

    No, no nos _____ si lo olvidaste. (el helado)

3. _____

    A Félix le _____ un kilo de manzanas.

4. _____

    Sí, a mi mamá le _____ buenas. (esas fresas)

5. _____

    Sí, a ellos les _____ bien traerlo. (un postre)

6. _____

    No, no me _____ si sales al jardín.

18 ¿Qué hace falta?

Valentina and her mother are planning a meal. They may have better or worse ingredients, or they may need more or less of them. Complete each sentence with the appropriate word from the box.

bien	bueno/a(s)	más	menos	tanto/a(s)
mejor	mejores	peor	peores	tan

MAMÁ: Valentina, necesitamos (1)_____ de un tomate para la paella.

VALENTINA: Entonces, hace falta comprar dos (2)_____ para tener tres.

MAMÁ: ¿Tenemos (3)_____ cebollas como pimientos rojos?

VALENTINA: Me parece que hay (4)_____ cebollas que pimientos. Hay cuatro cebollas y cinco pimientos.

MAMÁ: Bueno. ¿Puedes sacar las (5)_____ fresas y naranjas para hacer el postre?

VALENTINA: Sí, claro. Voy a usar las (6)_____ naranjas para preparar un jugo.

MAMÁ: ¡Caramba! Necesitamos (7)_____ queso para el postre.

VALENTINA: ¿Te parece (8)_____ si papá lo compra? Puedo llamarlo.

MAMÁ: Sí, por favor. ¿Puedes decirle que el queso del mercado es muy (9)_____?

VALENTINA: Sí. ¡Es mucho (10)_____ que el queso del supermercado!

19 Una comida muy especial

Read the paragraph about food in Spain. Then answer the questions as completely as possible.

En mi casa, nos gusta mucho la comida española. Es muy buena y variada. En todas las estaciones, hay pescado. Los mercados tienen las frutas y verduras más frescas. Cada región tiene sus recetas típicas. Las tapas son pequeños platos para comer antes de la comida principal. La paella es un plato muy bueno y popular en toda España. La paella original de Valencia lleva menos ingredientes y menos arroz que la paella famosa de mariscos (*seafood*). La tortilla es otra comida famosa. Sus ingredientes más importantes son los huevos y las papas con cebollas. El gazpacho es una sopa fría de tomate que también lleva pimiento, sal, ajo, aceite, vinagre y pan.

1. ¿Cómo es la comida española?

   _____

2. ¿Es difícil comprar pescado en España? ¿Por qué (no)?

   _____

   _____

3. ¿Cómo son los ingredientes de los mercados?

   _____

4. ¿Qué son tapas?

   _____

5. ¿Cuándo comen los españoles las tapas?

   _____

6. ¿Cuál de las paellas prefieres comer? ¿Por qué?

   _____

   _____

7. ¿Qué es el gazpacho y cómo lo comen?

   _____

8. ¿Cuáles son tres platos españoles?

   _____

Unidad 9

Lección A

Vocabulario A1

1 **Crucigrama**

Complete the following crossword puzzle.

Horizontales

1. Las camisas son para hombres y las _____ son para mujeres.

3. Para dormir, necesito un _____.

6. Rojo y azul hacen _____.

8. El chocolate es de color _____.

9. Rojo y blanco hacen _____.

Verticales

2. La zanahoria es de color _____.

3. Pongo el _____ en el zapato.

4. Compro una corbata en el departamento de ropa para _____.

5. La señorita tiene zapatos de _____.

7. Para ir a la playa, necesito un traje de _____.

2 Las partes del cuerpo

Look at the drawing and identify the parts of the body.

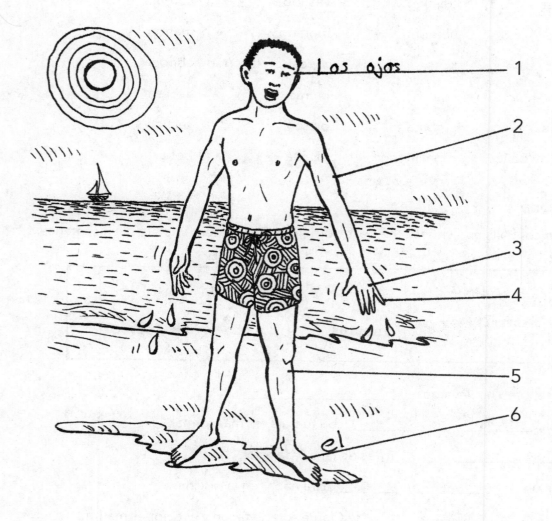

1. Los ojos _____
2. ~~los hombros~~ el ~~brazo~~ braso _____
3. ~~la pierna~~ ~~las piernas~~ la mano _____
4. los hombros _____
5. las radillas _____
6. el pia _____

3 Categorías

Choose the word in each row that does not belong in the group.

1. camisa   traje   vestido   corbata

2. verde   algodón   morado   marrón

3. zapato bajo   bota   zapato de tacón abrigo

4. blusa   mano   pierna   cabeza

5. medias   corbata   blusa   vestido

6. traje de baño   ropa interior pijama   bota

4 Ropa, ropa

Read the contexts and choose the best word from the box to complete each sentence.

> suéter   corbata   impermeable   guantes
> sombreros   zapatos   traje de baño   vestidos

1. Llueve, pero no llevamos _____.

2. Si usas _____ con tu traje, es más formal.

3. El _____ es de lana y da calor.

4. Llevo un _____ para nadar en la piscina.

5. Los _____ de Clarita son de tacón y el color es marrón.

6. Estos _____ son muy grandes y mis manos son pequeñas.

7. Ellas llevan _____ porque hace sol.

8. Para todos los días, me gustan más los _____ de algodón que los de seda.

Gramática A1

5   **¿Qué prefieres?**

Complete the following survey about your preferences in clothes and colors. Answer each question, omitting the noun. Follow the model.

MODELO: ¿Prefieres las botas negras o las botas marrones?
<u>Prefiero las negras/las marrones.</u>

1. ¿Prefieres los pijamas blancos o los pijamas rojos?

    _____

2. ¿Prefieres las camisas rosadas o las camisas azules?

    _____

3. ¿Prefieres los trajes de baño rojos o los trajes de baño negros?

    _____

4. ¿Prefieres la ropa interior blanca o la ropa interior anaranjada?

    _____

5. ¿Prefieres las corbatas rojas o las corbatas amarillas?

    _____

6. ¿Prefieres los vestidos negros o los vestidos morados?

    _____

7. ¿Prefieres los trajes azules o los trajes grises?

    _____

8. ¿Prefieres las blusas verdes o las blusas marrones?

    _____

6 En el departamento de ropa

Complete each sentence with the preterite tense of the verb in parentheses.

1. Álvaro _____ dinero a sus padres. (pedir)

2. Los muchachos _____ a la sección de zapatos. (correr)

3. Las muchachas _____ al segundo piso. (subir)

4. Nosotros _____ mucha ropa bonita. (ver)

5. Josefina _____ una blusa rosada de seda. (escoger)

6. Yo _____ la camisa blanca de algodón. (preferir)

7. El señor Quiroga _____ muchas botas. (vender)

8. Tú _____ con un traje de baño, ¿verdad? (salir)

7 Otra vez

Rewrite the following sentences, replacing the words in italics with the words in parentheses. Make any necessary changes.

MODELO: *Guillermo* durmió toda la tarde. (los muchachos)
<u>Los muchachos durmieron toda la tarde.</u>

1. *Mabel y yo* comimos en la cafetería. (tú)

_____

2. *Yo* pedí la sopa de pescado. (Mabel)

_____

3. Después, *nosotros* corrimos por el parque. (yo)

_____

4. *Ella* prefirió montar en bicicleta. (Uds.)

_____

5. *Mis padres* nos permitieron ir a España. (Mamá)

_____

6. *Yo* aprendí a preparar paella. (nosotros)

_____

8 ¿Quién fue?

Imagine you work at a store and the boss has just returned from a trip. Answer her questions, using the cues in parentheses.

> **MODELO:** ¿Quién me escribió la carta? (nosotros)
> <u>Nosotros la escribimos.</u>

1. ¿Quién abrió la tienda? (Lorenzo)

   _____

2. ¿Quién encendió las luces? (Magdalena)

   _____

3. ¿Quién pidió más camisas azules? (yo)

   _____

4. ¿Quién salió de vacaciones? (Pablo)

   _____

5. ¿Quién prefirió trabajar los sábados? (Iván y Tere)

   _____

6. ¿Quién recogió la ropa? (nosotros)

   _____

7. ¿Quién añadió clientes a la lista? (Jesús y Beatriz)

   _____

8. ¿Quién escogió un vestido de seda rosada? (la Sra. Gómez)

   _____

9. ¿Quién barrió la tienda? (Iván y Pablo)

   _____

10. ¿Quién subió las corbatas? (Tere)

   _____

Nombre: _____ Fecha: _____

Cultura

9 **Panamá.com**

Complete the following web page about Panama with the words below.

Atlántico   un canal   inversionistas   Colón   playas

tarifas   el turismo   balboas   barcos

La República de Panamá

Panamá es un país comercial. Uno de sus servicios más importantes es

(1) _____, ya que tiene (2) _____ de agua

cálida y arena blanca. También tiene (3) _____ que conecta

los océanos Pacífico y (4) _____. Por allí pasan más o menos

14.000 (5) _____ en un año. La Zona Libre de

(6) _____ es muy atractiva para los (7) _____,

porque allí pueden hacer negocios sin (8) _____ de importación

y exportación. Las transacciones se hacen en dólares americanos y

también en (9) _____, la moneda de Panamá.

Now, answer the following questions according to the *Cultura* reading on p. 444.

10. ¿Por qué es importante el servicio que presta el Canal de Panamá?

_____

_____

11. ¿De dónde son los inversionistas qué atrae Panamá?

_____

_____

12. ¿Qué productos exporta Panamá?

_____

_____

10 El Canal de Panamá

Imagine you're writing an article for a travel guide about the Panama Canal. Use the following questions as a guide, and add any other information you think is appropriate.

- ¿Cuándo fue construido? ¿Quién lo construyó?

- ¿Por qué es importante?

- ¿Quiénes lo utilizan?

- ¿Cómo funciona?

- ¿Es necesario pagar?

- ¿Qué proyectos hay para el futuro?

_____

_____

_____

_____

_____

_____

_____

_____

_____

_____

_____

Vocabulario A2

11 **Comprar por catálogo**

The following people ordered clothes through a catalog. Write complete sentences, saying what everyone ordered.

MODELO:  José
José pidió botas.

1. Olga

_____

_____

4. Rubén y Rodrigo

_____

_____

2. la Sra. Costas

_____

_____

5. tú

_____

_____

3. yo

_____

_____

6. el Sr. Márquez

_____

_____

Gramática A2

12 **¿Adónde fueron y qué hicieron allí?**

Combine elements from each column to write seven complete sentences, saying where everyone went and what they did there. Follow the model.

MODELO: Germán fue a la biblioteca y sacó un libro.

Germán	la biblioteca	dar un paseo
nosotros	el cine	comprar ropa
yo	el parque	comer paella
Pamela	la piscina	sacar un libro
los muchachos	el mercado	mirar una película
tú	la tienda	bailar
Toño y David	la fiesta	comprar frutas
Sonia	el restaurante	nadar

1. _____
2. _____
3. _____
4. _____
5. _____
6. _____
7. _____

13 **La mejor fiesta**

Complete the following paragraph with the preterite tense of the verbs *ser* and *ir*.

La fiesta del Club de Español (1)_____ en la casa de la profesora Camacho.

Más de cuarenta estudiantes (2)_____ a la fiesta. Yo (3)_____

la primera persona en llegar. Todos comieron y bailaron mucho. A la medionoche, nosotros

(4)_____ a buscar más comida. ¡(5)_____ la mejor fiesta del año!

14 ¿Quieres ir?

Complete the following telephone conversation, using the words from the list.

algo   alguien   alguna   nada   nadie   ni   ninguna   tampoco

EDGAR: Hola, Luisa. ¿Vas a hacer (1)_____ esta tarde o esta noche?

LUISA: No, no voy a hacer (2)_____ ni esta tarde

(3)_____ esta noche. ¿Por qué?

EDGAR: ¿Quieres ir de compras? Es el cumpleaños de Marta.

LUISA: ¿Es el cumpleaños de Marta? (4)_____ me lo dijo.

EDGAR: A mí me lo dijo (5)_____ en la clase de español. ¿Quieres ir?

LUISA: Sí, pero no tengo (6)_____ idea de qué comprarle. ¿Tienes tú

(7)_____ idea?

EDGAR: No, yo (8)_____ sé qué comprar.

15 Lo contrario

Rewrite the following sentences to make them negative. Follow the model.

MODELO: Busco a alguien. / No busco a nadie.

1. Tú siempre llevas guantes.

_____

2. Alguien debe hacerlo.

_____

3. Quiero comprar algo.

_____

4. Pedro también lo pidió.

_____

5. Fue o Ana o Rosa.

_____

6. Algunos niños lo saben.

_____

7. ¿Buscan alguna receta?

_____

16 Fuimos de tiendas

You went shopping recently with your friends and are sharing notes about your purchases. Complete the sentences with the preterite tense of the verbs in the word box.

pedir	correr	vender	preferir	ir	dormir

1. Irma y tú _____ ayuda para escoger los vestidos de fiesta.

2. La tienda _____ cincuenta sombreros anaranjados.

3. El viernes, yo _____ al centro comercial con Laura.

4. Laura _____ con los zapatos nuevos en la carrera (race).

5. Tú _____ los zapatos bajos a los zapatos de tacón.

6. Juan y yo _____ en la cómoda cama nueva.

17 ¡Colores y más colores!

Choose the colors you like to complete each sentence and add a definite article whenever appropriate. Remember gender and number agreement!

verde	gris	blanco	negro	rosado	azul	rojo
marrón	azul marino	amarillo	anaranjado	azul claro		

1. Las botas _____ no me quedan bien, pero _____ sí.

2. Te quedan mejor los zapatos _____ ; _____ son muy grandes.

3. Las medias _____ combinan mejor con ese vestido que _____.

4. Hoy, Carla prefiere llevar la chaqueta _____, no _____.

5. La corbata _____ te queda mejor que _____.

6. Con ese vestido, combina mejor el sombrero _____ que _____.

7. Yo prefiero el vestido _____ y no _____.

8. Voy a comprar pijamas _____ y pijamas _____ para los niños.

18 Enrique fue de compras

Read the paragraph about Enrique's shopping trip. Choose the verb that best completes each sentence and write it in the preterite tense. Some verbs may be used more than once.

combinar	*comer*	*contestar*	*escribir*	*ir*
sacar	**pedir**	*preferir*	**preguntar**	**tomar**

Enrique (1) _____ de compras esta mañana. Primero, él (2) _____ una lista de cosas para comprar. Él (3) _____ ir al centro comercial y no a las tiendas del centro. Allí compró mucha ropa. (4) _____ una camisa azul con un impermeable gris y un sombrero negro, y le quedaron bien. Luego, Enrique (5) _____ a comer. Él (6) _____ arroz con pollo y (7) _____ jugo de naranja también. Después, Enrique le (8) _____ un postre y un café al mesero. Por la tarde, (9) _____ el autobús para volver a casa. Cuando llegó Enrique a casa, su hermana le (10) _____: "¿Adónde (11) _____?". Enrique le (12) _____: "(13) _____ al centro comercial". Al día siguiente cuando salió, Enrique (14) _____ su impermeable y sombrero nuevos. Esa tarde, llovió.

19 Todo lo contrario

Virginia and Pablo are in a bad mood. Every single issue has a negative outcome. Complete each sentence with the missing negative words. Then compose an appropriate question for each one.

1. _____

   No, no tienes _____ en la cabeza.

2. _____

   _____ la chaqueta marrón, _____ la morada te quedan bien.

3. _____

   No, no hay _____ en el departamento de mujeres.

4. _____

   No, no me gusta _____ de esos trajes.

5. _____

   No, _____ vengo a esta tienda. Es la primera vez.

Lección B

Vocabulario B1

1 Identifica

Look at the following drawing and identify the items that are labeled.

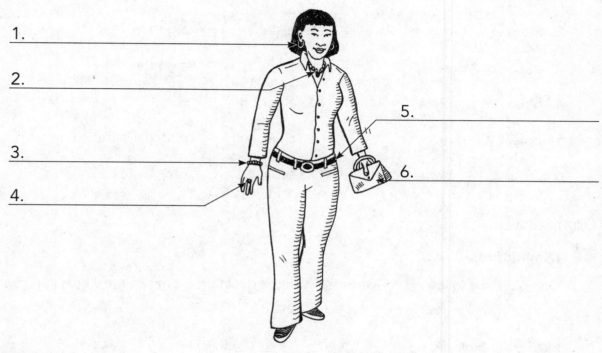

1. _____

2. _____

3. _____

4. _____

5. _____

6. _____

2 Completa

Complete the following sentences, using words from the list.

> ascensor   billetera   cuero   joyas   larga   paraguas   perlas   regalos

1. Lleva un _____ porque va a llover.

2. Recibí muchos _____ el día de mi cumpleaños.

3. Subo al décimo piso en un _____.

4. La bufanda no es corta; es _____.

5. Collares, pulseras y aretes son _____.

6. El cinturón de Arturo es de _____.

7. Tengo veinte dólares en mi _____.

8. Compramos un collar de _____.

3 Materiales

Of what materials can the following items be made? Choose the two most likely materials in each row.

MODELO: chaqueta: (cuero) (lana) plata

1. cinturón: material sintético perlas cuero

2. arete: oro plata algodón

3. pañuelo: seda oro algodón

4. blusa: plata algodón seda

5. bolso: oro cuero material sintético

6. collar: perlas seda oro

Gramática B1

4 Diminutivos

Complete the following conversation with the diminutive forms of the words in parentheses.

PAPÁ: Hola, (1) _____. (hija)

SILVIA: Hola. ¿Quieres un (2) _____? (café)

PAPÁ: Sí, un (3) _____. (poco)

SILVIA: Aquí tienes: café y un (4)_____. (pan)

PAPÁ: Gracias, (5) _____. (Silvia)

SILVIA: Papá, ¿quieres un (6) _____ de agua? (vaso)

PAPÁ: No, gracias. Prefiero un (7) _____ de tomate. (jugo)

SILVIA: ¿Quieres (8) _____ en tu jugo? (hielo)

PADRE: Sí, por favor. También necesito una (9) _____. (cuchara)

SILVIA: Papá, ¿me haces un (10) _____? (favor)

PAPÁ: Ya sé. No me lo digas. Necesitas un (11) _____, ¿no? (dinero)

5 **Lo siento**

Alicia wrote a letter of apology to Rodrigo. Complete it with the preterite forms of the verb *tener*.

Querido Rodrigo,

Siento mucho que mi familia y yo no fuimos a tu fiesta.

Mis padres (1)_____ *que trabajar. Paola*

(2)_____ *que estudiar para un examen y yo*

(3)_____ *que ir al dentista. Luego esa*

noche, Paola y yo (4)_____ *que cocinarle*

a mi abuelita. Sé que (5)_____ *una*

buena fiesta, Rodrigo. Te prometo ir a la próxima.

Tu amiga,

Alicia

Now, decide if the following statements about the letter are *cierto* (true) or *falso* (false). Write **C** or **F** in the space provided.

6. _____ Los padres de Alicia fueron a otra fiesta.

7. _____ Alicia no fue porque tuvo que ir al dentista.

8. _____ La abuelita cocinó para Paola y su hermana.

9. _____ La fiesta de Rodrigo fue muy buena.

10. _____ Alicia promete ir a la próxima fiesta de Rodrigo.

6 ¿Qué vieron?

Look at the following schedule for the Telemadrid TV station. Write complete sentences, using the preterite of the verb *ver* to say what the following people watched at the given times.

MODELO: Rubén / 14:00
Rubén vio Telenoticias.

1. Nora / 9:45

_____

_____

2. tú / 12:10

_____

_____

3. Hugo y Marco / 19:30

_____

_____

4. nosotros / 3:20

_____

_____

5. Gloria / 14:00

_____

_____

6. yo / 10:30

_____

_____

TELEMADRID

7.45 Documental: carreras asombrosas.
8.15 Los hombres de Harrelson.
9.00 Telenoticias sin fronteras.
9.45 En acción.
10.30 Cyberclub.
11.20 Shin Chan.
12.10 El príncipe de Bel-Air.
13.00 En pleno Madrid. Espacio de debate. «Presupuestos 2003: en qué se gastará nuestro dinero el Gobierno».
14.00 Telenoticias.
15.30 Cine de tarde. «Street Fighter: la última batalla». EE.UU. 1994. 108 min. Dir: Steven E. de Souza. Int: Raul Julia, Jean Claude Van Damme y Damian Chapa. Un hombre, Bison, quiere conquistar el mundo. Para ello, contrata a una serie de poderosos luchadores para que, por medio de la extorsión, llegar a lo que se propone.
17.35 Cine: una comedia. «Bitelchús». EE.UU. 1988. 92 min. Dir: Tim Burton. Int: Alec Baldwin, Geena Davis y Michael Keaton.
19.30 Fútbol es fútbol.
21.35 Cine: el megahit. «Dogma». EE.UU. 1999. 133 min. Dir: Kevin Smith. Int: Ben Affleck, Matt Damon y Linda Fiorentino. Dos ángeles caídos intentan retornar al cielo. Pero si logran su objetivo eliminarán a toda la raza humana.
0.10 Cine.es. «El día de la bestia». España. 1995. 103 min. Dir: Álex de la Iglesia. Int: Santiago Segura, Álex Angulo y Armando de Razza. Después de 25 años de estudiar el Apocalipsis de San Juan, el cura ángel Berriatua tiene la certeza de que el Anticristo nacerá el 25 de diciembre de 1995.
2.00 Cine: la noche de terror. «La Galaxia del terror». EE.UU. 1981. 78 min. Dir: B.D. Clark. Int: Ray Walston, Grace Zabriskie y Edward Albert, Jr.
3.20 Starsky y Hutch. «Los rehenes».
4.05 Pasados de vuelta.
4.30 Programación de laOtra.
6.30 Información Cultural CAM.

7 **¿Qué hicieron?**

What did Sergio's friends do to throw him a surprise birthday party? Write complete sentences, using the cues and the preterite forms of the verb *hacer*.

> **MODELO:** Beatriz / una lista
> Beatriz hizo una lista.

1. tú / los planes

   _____

2. Manolo / una paella

   _____

3. yo / el postre

   _____

4. Carolina y Marta / un jugo

   _____

5. tú / una lista de juegos

   _____

6. Norma / los adornos

   _____

7. Luis / un dibujo cómico de Sergio

   _____

8. Carmen / un regalo especial para Sergio.

   _____

9. nosotros / muchas cosas

   _____

10. Tomás y Julia / el postre para cantar Cumpleaños Feliz.

    _____

11. José y David / nada

    _____

12. nosotros / una fiesta de cumpleaños muy buena para Sergio

    _____

8 **¿Qué sección dijeron que leyeron?**

Summarize what section of the newspaper everyone said they read this morning. Look at the newspaper guide and choose a different section for each person. Use the preterite forms of the verbs *decir* and *leer*. Follow the model.

MODELO: Rocío

Rocío dijo que leyó la sección de deportes.

ÍNDICE			
EDITORIALES	11	CULTURA/ESPEC	52
OPINIÓN	12	CARTELERA	60
CARTAS	14	ESQUELAS	63
NACIONAL	16	CLASIFICADOS	66
INTERNACIONAL	32	ECONOMÍA	67
AGENDA	43	DEPORTES	72
LOTERÍA	43	GENTE	80
SORTEOS	43	PASATIEMPOS	82
TIEMPO	44	HORÓSCOPO	82
SOCIEDAD	46	TV/RADIO	83

1. Rebeca y María

   _____

2. yo

   _____

3. Carlos

   _____

4. Uds.

   _____

5. Sarita

   _____

6. nosotros

   _____

7. tú

   _____

9   Correo electrónico

Complete Alejandra's e-mail with the preterite forms of the words from the list. One word is used more than once.

abrir   comprar   decir   empezar   ir

leer   oír   subir   ver

CORREO ⌄   Nuevo   📄 Enviar   📎 Insertar   Responder | ⌄   Alejandra ⚙

De: Alejandra

Para: Vicente

Asunto:

Hola Vicente:

¿Quieres oír algo cómico? Ayer mi madre y yo (1)_____ de

compras. Ella (2)_____ en el periódico y también

(3)_____ en la radio que iba a (was going to) llover y

(4)_____ que quería comprarme un paraguas

nuevo. En la tienda, nosotras (5)_____ al tercer

piso, y allí, mi madre (6)_____ el paraguas más

grande del mundo. Ella lo (7)_____. Al regresar a

casa, (8)_____ a llover. Yo (9)_____

el paraguas, pero hizo tanto viento que se lo llevó. Esta mañana,

yo (10)_____ decir que unos muchachos vieron un

paraguas grande en el patio de su casa. ¿Qué te parece?

Hablamos más tarde,

Alejandra

Sidebar: Entrada   Spam (1)   Borradores   Eliminados   Contactos   Notas   Archivar   Grupos

---

Cultura

10 Los productos de Ecuador

Choose the correct answer to complete the following statements about Ecuador.

1. Ecuador es uno de los principales… de flores en todo el mundo.

   A. importadores   B. exportadores

2. Las temperaturas… de Ecuador favorecen los cultivos.

   A. estables   B. inestables

3. Ecuador produce más o menos… de toneladas de plátanos al año.

   A. 8.000.000   B. 8.000

4. Los… forman parte de muchos platos típicos de Ecuador.

   A. cangrejos   B. camarones

5. La exportación de… también es muy importante.

   A. autos   B. petróleo

6. El sombrero tradicional de Ecuador se llama…

   A. sombrero ecuatoriano   B. sombrero panamá

11 Ecuador y sus islas

Decide whether the following statements about Ecuador are *cierto* or *falso*. Write **C** or **F** in the space provided.

1. _____ Las islas Galápagos es uno de los destinos menos famosos de Ecuador.

2. _____ Las islas Galápagos se extienden por toda la línea ecuatorial.

3. _____ Las tortugas gigantes se encuentran en toda América del Sur.

4. _____ En las islas Galápagos, hay muchas especies de peces.

5. _____ En 1990, sus aguas se convirtieron en un santuario para delfines.

6. _____ Los ecuatorianos hacen todo lo posible para proteger el ecosistema de las islas.

7. _____ Las islas Galápagos proporcionan importantes ingresos para la economía del país.

Vocabulario B2

12 Preguntas y respuestas

Match the questions on the left with the most appropriate response on the right. Write the letter of your choice in the space provided.

1. _____ ¿Dónde pago?

2. _____ ¿Cómo va a pagar?

3. _____ ¿Para qué necesito el recibo?

4. _____ ¿Te gusta el bolso?

5. _____ ¿Quién me puede ayudar?

6. _____ ¿Cuánto cuesta el cinturón?

7. _____ ¿Te dieron cambio?

8. _____ ¿Por qué no lo compras?

A. No, porque pagué con tarjeta de crédito.

B. Para cambiar algo.

C. En efectivo.

D. Está en oferta. Cuesta veinte dólares.

E. Sí, es de buena calidad.

F. En la caja.

G. Está muy caro.

H. El dependiente.

13 De compras

Unscramble the following dialog between a shopper and a clerk. Number the sentences in a logical order. The first one has been done for you.

_____ ¿Cómo va a pagar?

___1___ Buenas tardes. Busco un regalo para mi madre.

_____ ¿Qué tal este perfume?

_____ Este bolso está en oferta especial. Sólo cuesta veinticinco dólares.

_____ Aquí tiene cinco dólares de cambio y su recibo.

_____ ¿Cuánto cuesta?

_____ Está muy caro. ¿No tiene algo más barato?

_____ Es bonito y de buena calidad. Bueno, lo compro.

_____ Cuarenta dólares.

_____ Muchas gracias.

_____ En efectivo.

Gramática B2

14 ¿Con quién?

Belinda wants to know with whom everyone went shopping. Answer her questions affirmatively, using the appropriate pronouns.

> **MODELO:** ¿Con quién fue Silvia? ¿Con Elena?
> <u>Sí, fue con ella.</u>

1. ¿Con quién fue Lucas? ¿Con Nicolás?

   _____

2. ¿Con quién fueron tus hermanos? ¿Contigo?

   _____

3. ¿Con quién fue Sofía? ¿Con su madre?

   _____

4. ¿Con quién fue David? ¿Con Olga y Cristina?

   _____

5. ¿Con quién fueron Fernando y Anabel? ¿Conmigo?

   _____

6. ¿Con quién fuiste tú? ¿Con Miguel y Pedro?

   _____

7. ¿Con quién fue Mónica? ¿Con Anabel y conmigo?

   _____

8. ¿Con quién fueron tus amigos? ¿Con Miguel y contigo?

   _____

9. ¿Con quién fue Ud.? ¿Con Ana?

   _____

10. ¿Con quién fuiste tú? ¿Con papá y conmigo?

    _____

11. ¿Con quién fueron tus padres y tú? ¿Con tus abuelos?

    _____

12. ¿Con quién fue tu tía? ¿Contigo?

    _____

15 ¿Vienes conmigo?

Adriana and Fausto go shopping for Christmas presents. Complete the dialog with the correct words.

a	con	**conmigo**	contigo	*de*		ti
por	*en*	hasta	*mí*	*sin*	*para*	

ADRIANA: Fausto, ¿vienes (1)_____ a comprar los regalos de Navidad?

FAUSTO: ¡Sí, claro! Voy (2)_____.

ADRIANA: ¿Compramos un perfume (3)_____tu mamá?

FAUSTO: Sí, (4)_____ ella le gustan mucho los perfumes.

ADRIANA: (5)_____ esa tienda, veo una bufanda azul para mi papá.

FAUSTO: Aquellos aretes están (6)_____ oferta. Son (7)_____ plata.

ADRIANA: ¡Desde niña me gustan los aretes (8)_____ oro!

FAUSTO: Jajá. Son para (9)_____.

ADRIANA: ¿Para (10)_____? ¡Muchas gracias!

ADRIANA: ¿Te gusta esta camisa, querido?

FAUSTO: No, querida. Tiene poliéster. Prefiero una camisa (11)_____ poliéster.

ADRIANA: Esta tienda tiene muchas cosas. ¡Desde joyas (12)_____ café!

FAUSTO: Vamos a pagar (13)_____ tarjeta de crédito.

DEPENDIENTA: ¡Muchas gracias (14)_____ sus compras!

16 Ni lo uno ni lo otro

Cantinflas was a famous comedian who liked to play with words. Read each statement and rewrite to reverse the meaning. Use the vocabulary and structures you have learned in this lesson. Be creative!

MODELO: Me gustan tanto las corbatas como los sombreros.
<u>No me gustan ni las corbatas ni los sombreros.</u>

1. La bufanda que le compré a María es fea.

   _____

2. ¡Hace frío! O usas la chaqueta o usas el abrigo.

   _____

3. No me gustan ni los aretes de oro ni los de plata.

   _____

4. Esta bufanda tiene mucho algodón y poca seda.

   _____

5. El señor de la tienda no es amable.

   _____

17 ¿Qué hice hoy?

Read about what Jorge did today. Complete the sentences with the correct preterite form of the appropriate verb.

hacer escribir correr leer volver decir
preferir ver oír dormir

Esta mañana, yo (1)_____ la cama temprano. Después de comer, (2)_____ un trabajo para la clase de historia. Ya que vivo cerca, (3)_____ rápidamente al colegio. En la clase de literatura, yo (4)_____ un texto sobre la cultura ecuatoriana. Cuando (5)_____ a casa, yo le (6)_____ a mi mamá que me gustaría ir al cine. En el centro comercial mis amigos y yo (7)_____ una película. Al volver a casa, yo (8)_____ ver la película de detectives y mis amigos también. (9)_____ música en mi cuarto. Por la noche, (10)_____ muy bien.

18 La ropa y las estaciones

Read the paragraph about clothing and the seasons. Then answer the questions in complete sentences.

> En cada estación, usamos la ropa más apropiada. En invierno, necesitamos abrigos, bufandas, guantes y sombreros de lana. El material es importante porque hace frío. Los accesorios también son importantes. En la primavera, llueve mucho. Los impermeables y los paraguas son esenciales y las botas de lluvia son muy útiles. Los suéteres son buenos para las tardes frescas. En el verano, necesitamos ropa fresca. El algodón es un material ideal. Las camisetas, blusas y camisas son muy cómodas. En el otoño, podemos usar chaquetas y *jeans*. Son versátiles y podemos usarlos todo el año. Los perfumes y joyas dependen de las preferencias individuales. ¡Todo es más barato cuando no es la estación!

1. ¿Siempre usamos la misma ropa?

   _____

2. ¿De qué material es la mejor ropa para el invierno?

   _____

3. ¿Cuáles son tres accesorios buenos para la primavera?

   _____

4. ¿En qué estación podemos usar los suéteres?

   _____

5. ¿Cuál es la ropa ideal para el verano?

   _____

6. ¿Qué ropa es ideal para todo el año?

   _____

7. ¿Cuándo son más baratos los accesorios y la ropa?

   _____

Unidad 10

Lección A

1 **Deportes y pasatiempos**

Everyone did something fun this year. Look at the drawing and write what each person played or did. Follow the model.

MODELO: Sebastián
Sebastián jugó al básquetbol.

1.   Armando

_____

_____

4.   yo

_____

_____

2.   nosotros

_____

_____

5.   tú

_____

_____

3.   Paula y Ana

_____

_____

6.   Gabriela

_____

_____

2 ¿Qué tienen que hacer?

Everyone is busy this afternoon. Look at the drawings and write what everyone has to do.
Follow the model.

MODELO: Clara
Clara tiene que ir al dentista.

1. _____ yo

_____

_____

2. _____ Jorge

_____

_____

3. _____ Gloria

_____

_____

4. _____ nosotros

_____

_____

5. Pepe

_____

_____

6. Liliana

_____

_____

7. Eva y Julio

_____

_____

8. tú

_____

_____

3 Sopa de letras

Find seven school subjects in the word square below. The words may read horizontally, vertically or diagonally.

M	H	T	G	M	H	Ó	A	L	B	S
A	E	I	B	I	R	I	R	Y	I	U
T	R	S	S	N	X	P	T	J	O	Z
E	Q	U	P	T	C	K	E	Z	L	Ó
M	U	Í	T	A	O	W	O	Á	O	P
Á	L	P	H	F	Ñ	R	D	R	G	A
T	I	É	R	T	Y	O	I	I	Í	M
I	Z	X	C	V	B	N	L	A	A	A
C	O	M	P	U	T	A	C	I	Ó	N
A	R	Q	F	Í	S	X	Á	O	N	B
S	T	R	I	N	G	L	É	S	É	I

4 Comparando clases

Complete the following comparisons with the school subjects of your choice.

MODELO: <u>Biología</u> es la clase más divertida.

1. _____ es más interesante que _____.

2. _____ es más aburrida que _____.

3. _____ es menos fácil que _____.

4. _____ es tan difícil como _____.

5. _____ fue la mejor clase del año.

6. _____ fue la peor clase del año.

5 ¿Qué hicieron el jueves?

Many people went out on Thursday. Answer the questions about what they did, based on the information found in the following entertainment guide.

23/01 jueves

MÚSICA

Inconsciente Colectivo
en concierto acústico, este jueves, en el Jazz Café, San Pedro, 10 p. m.
Entrada: ¢1.500.
Teléfono: 253-8933.

ARTES

Séptimo Salón Nacional de Artes Nueva Acrópolis.
Pinturas, foto grafías y esculturas del grupo Nueva Acrópolis. Galería Nacional, Museo de los Niños. De *lunes* a *viernes*, de 9 a. m. a 4:30 p. m. *Sábados* y *domingos*, de 10 a. m. a 5 p. m.
Entrada: gratuita.
Teléfono: 258-4929.

CINE

Saving Grace (*El jardín de la Alegría*), película que forma parte del I Festival de Cine Británico que presentará la Sala Garbo, Paseo Colón. Funciones a las 3, 5, 7 y 9 p. m.
Entrada: ¢1.500.
Teléfono: 222-1034.

BOHEMIA

La Casa de la Urraca, Tibás, lo invita a disfrutar de la música cubana del grupo Chocolate, 10 p. m.
Entrada ¢1.500.
Teléfono: 385-5994.

1. Augustín escuchó un concierto acústico. ¿Adónde fue?

_____

_____

2. Nosotros fuimos a la Sala Garbo. ¿Qué vimos?

_____

_____

3. Mauricio y Cecilia fueron a La Casa de la Urraca. ¿Qué escucharon?

_____

_____

4. Yo vi arte del grupo Nueva Acrópolis. ¿Adónde fui?

_____

_____

5. Clara fue al concierto de Inconsciente Colectivo. ¿Cuánto costó?

_____

_____

6. ¿A qué hora empezó el concierto del grupo Chocolate?

_____

_____

6 Todos aprendieron algo

What did everyone learn to do this past year? Combine elements from each column and use the preterite tense of the verb *aprender* to write ten complete sentences.

MODELO: Flor aprendió a preparar paella.

Flor	tocar	al ajedrez
yo	montar	la cumbia
Carlota	jugar	a caballo
Juan y Pablo	leer	por Internet
tú	ahorrar	paella
mis primos	navegar	una motocicleta
nosotros	preparar	el piano
Gerardo	patinar	un aguacate maduro
Rita y Tere	arreglar	en español
Adolfo y yo	escoger	dinero
mi mejor amigo	bailar	sobre ruedas

1. _____

2. _____

3. _____

4. _____

5. _____

6. _____

7. _____

8. _____

9. _____

10. _____

7 **Este año fue...**

Think about this school year. Write one or two paragraphs about it. Describe the classes you took. Say some things you did with your friends. Mention one or two things you learned to do. Conclude by saying if it was a better or worse year than last year.

_____

_____

_____

_____

_____

_____

_____

_____

_____

_____

_____

_____

_____

_____

_____

_____

_____

Cultura

8 El Perú de los incas

Choose the correct completion for each statement about Peru.

1. El Imperio inca llegó a ser el imperio más grande...

   A. del mundo   B. de los Andes

2. Los incas construyeron la ciudad de Machu Picchu...

   A. en una montaña   B. junto a un lago

3. La capital del Imperio inca se llama...

   A. Machu Picchu   B. Cuzco

4. El *quipu* es un sistema de...

   A. finanzas   B. calles

5. El Imperio inca estaba (*was*) unido por un sistema de...

   A. túneles   B. calles

6. Para cruzar precipicios los incas hicieron...

   A. túneles   B. puentes

9 La cultura de Perú

You have read about Peru's history and culture. Match the Spanish word or phrase on the left with its meaning on the right. Write the correct letter in the space provided.

1. _____ Machu Picchu

2. _____ Cuzco

3. _____ Inti Raymi

4. _____ quechua

5. _____ papas a la huancaína

6. _____ mestizaje

A. la lengua de los incas

B. la combinación de las raíces indígena y europea

C. una ciudad de piedra arriba de una montaña

D. un plato que combina ingredientes indígenas y españoles

E. la capital del Imperio inca

F. un festival en honor del sol

10 De viaje por Perú

Think about what you have read about Peru. Imagine that you traveled there on vacation and were impressed by the history of the Incas. Write a paragraph including information about the following aspects of their empire and culture and any other appropriate information you would like to include.

- their language
- their religion
- their cities and architecture
- their economy

_____

_____

_____

_____

_____

_____

_____

_____

_____

_____

_____

_____

_____

_____

_____

_____

Lección B

1 De viaje

The following people are looking for travel buddies. Read the ads and then decide if the statements that follow are *cierto* or *falso*. Write **C** or **F** in the space provided.

Compañeros de ruta

Argentina

■ Busco compañeros de ruta para realizar paseos en bicicleta por Buenos Aires. Nos reunimos los sábados, a las 17, en 11 de Septiembre y Echeverría, en Belgrano. Escribir a: *marceloalejandro32@emcschool.com*

■ Mi nombre es Pablo y estoy armando un viaje al norte argentino en moto. Busco compañera de ruta para compartir el viaje y la experiencia. Escribir a: *pablopio@emcschool.com*

■ Tengo 25 años, soy Federico y con un amigo estamos planeando un viaje de mochileros para el verano. El lugar elegido es Mendoza (Cañón del Atuel) y también Bariloche. Pensábamos sumar a alguien más. Escribir a: *fricofontan@emcschool.com*

■ Mi nombre es Diego, soy rosarino y estoy armando un viaje por el Sur para el verano. Busco compañero de ruta de entre 18 y 25 años, tipo mochilero. Escribir a: *diegoe25@emcschool.com*

■ Soy Pablo, tengo 24 años y busco compañeros de ruta para viajar a fines de este mes hacia los Valles Calchaquíes, en Salta. La idea es compartir una buena experiencia, hacerse amigos y ahorrar gastos. Escribir a: *pabloiglesias1@emcschool.com*

Europa

■ Me llamo Daniel, tengo 56 años y busco compañía con buena onda para viajar a España, Portugal y Marruecos. Escribir a: *daniel@emcschool.com*

■ Tengo 45 años y busco compañeros de ruta para viajar a al sur de España, para visitar Córdoba, Sevilla y Granada. Me llamo Alejandro. Escribir a: *alejantulo@emcschool.com*

---

1. _____   Los paseos en bicicleta por Buenos Aires son los domingos.

2. _____   Pablo va a ir al norte de Argentina en moto.

3. _____   Federico y un amigo quieren ir a España.

4. _____   Diego busca un compañero de ruta entre 18 y 25 años.

5. _____   A Pablo le gustaría compartir una buena experiencia con nuevos amigos.

6. _____   A Daniel le gustaría viajar al sur de Argentina.

7. _____   Alejandro piensa viajar al sur de España.

2 Ahora tú

Now it is your turn to write an ad for a travel friend. Imagine you can travel to a Spanish-speaking country this summer. First, answer the following questions. Then, use the information in your answers and the outline below to write your ad.

1. ¿Adónde vas a viajar y cuándo?

   _____

2. ¿Qué medio de transporte piensas usar?

   _____

3. ¿Con quién te gustaría compartir esta experiencia?

   _____

> *Me llamo... Tengo ... años.*
> *Busco compañeros de ruta*
> *para viajar a... en... Vamos*
> *a salir el... y volver el... Me*
> *gustaría conocer personas*
> *que son... Escribir a...*

_____

_____

_____

_____

_____

_____

_____

_____

3 Oportunidades

If you are bilingual in English and Spanish, you could work in a Spanish-speaking country. Here are some ads taken from newspapers in Latin America. Write the number of the ad next to the name of the profession in Spanish.

_____ asistente   _____ profesor de inglés   _____ agente de turismo

MULTINATIONAL COMPANY Seeks PRESIDENTIAL ASSISTANT

- Five-year experience in managerial or presidential assistant position in multinational companies.
- Bilingual Spanish-English
- Perfect knowledge of Windows & Office software
- Excellent planning an interpersonal skills as well as time management.

WE OFFER: Excellent compensation benefits according to law, professional development and good working environment.

If you fulfill the requirements, please send your C.V. with photo to EL TIEMPO post box No. 6739.

1.

CC
COAST TO COAST
ADVENTURES

Travel Agent / Tour Operator
Reservations

- Bilingual written & spoken (Spanish / English)
- Use of e-mail and Microsoft programs
- Good public relations skills
- Able to work from **Monday to Friday half a day**
- Salary: ¢85.000 monthly
- Experience in this position (at least a year)

Send your resume via e-mail:
mail@coasttocoastadventures.com

2.

International Company
Requires

English Teacher or Academic Advisors

Ages between 20-45, great appeareance, experience living in a foreign country and able to work inmediatly.

Transversal 18 No. 101-21

3.

Think of two other professions that would require bilingual skills:

_____

_____

4 **¿Qué profesión?**

Read what the following people like to do. Then write what his or her profession should be. Follow the model.

MODELO: BETO: Me gustaría enseñar español.
TÚ: <u>Pienso que debes ser profesor.</u>

arquitecto/a   artista   banquero/a   cocinero/a   dentista

programador/a   músico/a   médico/a   veterinario/a   político/a

1. ARTURO: Me gustaría diseñar casas.

TÚ: _____

2. MATILDE: Me gustaría programar computadoras.

TÚ: _____

3. FERNANDO: Me gustaría dibujar y pintar.

TÚ: _____

4. LORENA: Me gustaría trabajar con animales.

TÚ: _____

5. YOLANDA: Me gustaría trabajar en una clínica.

TÚ: _____

6. GERMÁN: Me gustaría cocinar para muchas personas.

TÚ: _____

7. ROXANA: Me gustaría trabajar en un banco.

TÚ: _____

8. ROBERTO: Me gustaría arreglar dientes.

TÚ: _____

9. GILBERTO: Me gustaría tocar en una orquesta.

TÚ: _____

10. TINA: Me gustaría trabajar como senadora o gobernadora.

TÚ: _____

5 Color y personalidad

Do you think colors define personality? Look at the following web page and answer the questions that follow.

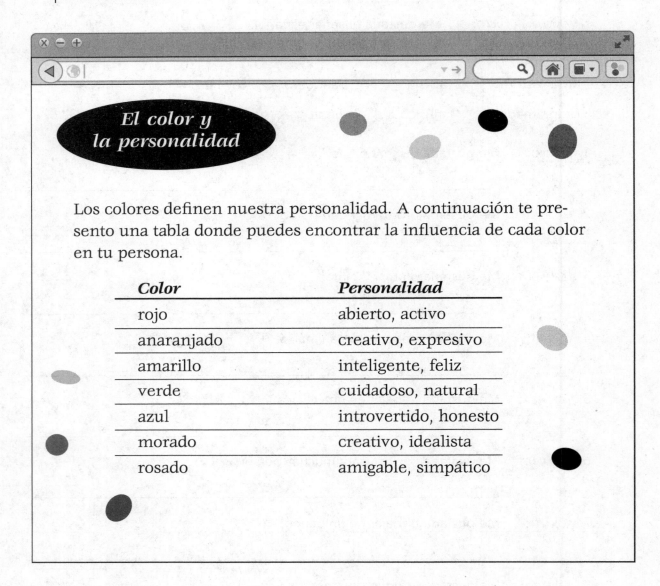

El color y
la personalidad

Los colores definen nuestra personalidad. A continuación te presento una tabla donde puedes encontrar la influencia de cada color en tu persona.

Color	Personalidad
rojo	abierto, activo
anaranjado	creativo, expresivo
amarillo	inteligente, feliz
verde	cuidadoso, natural
azul	introvertido, honesto
morado	creativo, idealista
rosado	amigable, simpático

1. Escoge tu color favorito de la página web. ¿Cuál es?

   _____

2. ¿Qué dice la página web sobre cuál es tu personalidad?

   _____

3. ¿Es esa tu personalidad? Si no, ¿cómo eres?

   _____

6 **¿Cómo es?**

Complete the following sentences, using words from the list.

ambiciosa	aventurero	creativo	generosa
honesto	organizado	popular	rico guapa

1. Franco es _____. Siempre dice la verdad.

2. El Sr. Soles tiene mucho dinero en el banco. Él es _____.

3. Mi amiga no es fea; es _____.

4. Consuelo es _____; quiere ser presidente de Estados Unidos.

5. Javier es muy _____. Le gusta pintar y escribir poemas.

6. A Ernesto le gusta viajar mucho; es muy _____.

7. Amalia es _____. Ella tiene muchos amigos.

8. Eugenia es _____. Siempre comparte sus cosas.

9. Tomás siempre pone todo en su lugar; es muy _____.

7 **Tenemos ganas**

Use these verb phrases to create eight original sentences: *acabar de, ir a, tener que* and *tener ganas de.*

MODELO: David tiene ganas de estudiar en México.

1. _____

2. _____

3. _____

4. _____

5. _____

6. _____

7. _____

8. _____

8 Este verano

What are you doing this summer? Are you going to work? Are you going to travel? Write one or two paragraphs about your plans for this summer. Include what you have to do as well as things you would like to do.

_____

_____

_____

_____

_____

_____

_____

_____

_____

_____

_____

_____

_____

_____

_____

_____

_____

_____

_____

_____

_____

_____

Cultura

9 **Relato de un viaje al mundo de los mayas**

Imagine you take a trip to Central America to know more about Mayan culture. Write a blog entry of your experience. You can use the following outline as a guide.

1. Start the blog on a certain date.

2. Mention what interests you about Mayan civilization.

3. Mention which Mayan ruins you tour and what you see there.

4. Mention which cities with Mayan population you visit.

5. Describe the current lifestyle of Mayas in those cities.

6. Mention what the Mayas want to know about your culture.

7. Describe how you feel about the overall experience.

_____

_____

_____

_____

_____

_____

_____

_____

_____

_____

_____

_____

_____

_____